Llyfrau Llafar Gwlad

Dyddiau Cŵn

Atgofion Idris Morgan o'r Mynydd Bach

Gol: Lyn Ebenezer

Cyflwynedig
er cof am fy Nhad a Mam
ac am Myfi, fy ngwraig

Argraffiad cyntaf: 2013

ⓗ   Idris Morgan/Gwasg Carreg Gwalch

Rhif rhyngwladol: 978-1-84527-419-1

Mae'r cyhoeddwr yn cydnabod cefnogaeth ariannol
Cyngor Llyfrau Cymru

Cynllun clawr: Sion Ilar

Llun clawr: Gyda Mirc ar ôl ennill Tlws Ymryson Triphlyg Mileniwm 2000
Mynydd Bach, Ponterwyd a Ffair Rhos.
(llun – Tim Jones)

Cyhoeddwyd gan Wasg Carreg Gwalch,
12 Iard yr Orsaf, Llanrwst, Conwy, LL26 0EH.
Ffôn: 01492 642031 Ffacs: 01492 641502
e-bost: llyfrau@carreg-gwalch.com
lle ar y we: www.carreg-gwalch.com

Argraffwyd a chyhoeddwyd yng Nghymru.

Cynnwys

Cyflwyniad

Sonia Cynan ym 'Mab y Bwthyn' am ei ddymuniad i 'dorri cwys fel cwys ei dad'. Yn sicr, dyna fu hanes Idris Morgan. Etifeddodd y grefft o drin cŵn defaid oddi wrth ei dad, D.C. Morgan. Cofiaf yn dda'r cyfnod pan fyddwn yn mynd yn llencyn i dreialon cŵn defaid a chlywed y sibrydion yn lledu o gwmpas y cae fod 'D.C.' wedi cyrraedd. Byddai disgwyl mawr wedyn am gael gweld y meistr wrth ei waith. Heddiw gwelir Idris y mab, ac yntau erbyn hyn wedi croesi'r pedwar ugain, yn cael ei gydnabod fel un o fawrion y grefft.

Gellir mesur dawn pob crefftwr wrth ei ddelwedd a'i ymdriniaeth o'i dasg. Gwneud i'r gwaith edrych yn syml a hawdd – dyna yn sicr yw un o nodweddion Idris Morgan. Daw at ei farc – neu at ei bolyn – ar y cae fel petai'n cerdded erwau ei gae adref ym Manc Llyn. O edrych yn fwy dadansoddol gwelir fod pob chwibaniad i bwrpas, pob symudiad gan y ci a'r meistr wedi eu mesur. A'r ddafad druan wedi ei chorlannu cyn iddi hyd yn oed benderfynu ceisio dianc.

Y darlun a welir yw bugail a'i gi mewn partneriaeth berffaith, crefft a berffeithiwyd ers dyddiau ei blentyndod yn chwech oed pan ymddangosodd gyntaf ar gae rasys cŵn defaid. Yn y dyddiau cynnar, yn enwedig yn Sir Aberteifi byddai mwyafrif y treialon yn dilyn dull De Cymru. O dan y drefn honno byddai'r ci'n cyrchu'r defaid, dod â nhw'n ôl rhwng y rhwystr cyntaf hanner y ffordd i lawr, yna drwy'r groes 'Maltese'. Yn y groes byddai'n rhaid cael y defaid drosodd un ffordd ac yna yn ôl a thrwodd eto i gyfeiriad y gorlan gan orffen gyda chlwyd y gorlan yn cael ei chau. Weithiau, byddai'n rhaid didoli cyn corlannu.

Erbyn heddiw mae'r treialon gan fwyaf ar y ffurf Genedlaethol. Yn y dull yma, ar ôl y cyrchu rhaid dod drwy'r rhwystr cyntaf ac yna gyrru'r defaid i ffwrdd oddi wrth y bugail ar ffurf triongl gan basio drwy ddau rwystr arall ar y ffordd. Yna rhaid dod â'r defaid yn ôl i'r cylch didoli cyn corlannu.

Heddiw, petai'r holl gŵn fu'n eiddo i Idris yn ymgasglu o'i gwmpas byddent yn deulu mawr ac ambell un, yn sicr yn dod â deigryn i'r llygad. Cofiaf un cyfnod, ac Idris yn rhedeg Wag a Ianto, pan oedd hi'n anaml iawn arno'n mynd adre heb gwpan arian yng nghefn ei gar.

Gellid yn sicr osod y gŵr hynaws hwn ar unrhyw lwyfan a lluchio

amrywiol destunau o'i flaen a chael ganddo farn gwerth gwrando arni ar bob un. Rhyfedd fel mai un grefft yn esgor ar un arall.

Hyfryd fu cael y cyfle i gofnodi gair mewn cyfrol a fydd yn paentio darlun o gymeriad, crefftwr ac un a fu'n ymhél ag amrywiol fywoliaethau. Gwn y gwnewch fwynhau ei hanes.

Charles Arch

Llyn Eiddwen

Cofeb i Feirdd y Mynydd Bach

1.

Glynu'n glós

Mae yna hen ddywediad sy'n disgrifio tlodi fel byw rhwng y cŵn a'r brain. Rwy'n ddisgynnydd i deulu fu'n gynefin â thlodi. Ac mae'r Mynydd Bach, lle mae gwreiddiau'r teulu yn ardal sy'n enwog am ei brain. Ond mae yna arwyddocâd pellach i'r dywediad cyn belled ag y mae ein teulu ni yn y cwestiwn. Mae gen i le i gredu mai ni yw'r unig deulu yng Nghymru a gafodd ei gynnal yn llwyr, pan oedd y dyddiau'n fain, ag enillion Nhad mewn treialon cŵn defaid.

Yma ar y Mynydd Bach mae'r trigolion wedi gorfod brwydro am fywoliaeth erioed. Yma, cyndyn iawn yw'r tir. Bu'n rhaid brwydro yn erbyn natur drwy wrthsefyll lledaeniad grug, brwyn ac eithin. Brwydro wedyn yn erbyn landlordiaid a geisiodd hawlio tir comin. Yna brwydro yn erbyn cyfreithiau a luniwyd er mwyn cadw'r werin yn ei lle. Ond y werin a orfu ac fe arweiniodd yr holl frwydro hynny at greu cymdeithas glós, ddi-ildio.

Hwyrach bod yr enw Mynydd Bach braidd yn gamarweiniol. Nid un mynydd yw'r fro rhwng Cors Caron a Bae Ceredigion ond nifer o fryniau gyda mân bentrefi wedi eu lleoli o'u cwmpas, pentrefi fel Llangwyryfon a Threfenter, Blaenpennal, Bronnant a Lledrod, Bethania a Phenuwch. Cofiwch, mae rhai'n mynnu mai'r unig bentrefi sydd o fewn gwir gylch y Mynydd Bach yw Trefenter, Blaenpennal a'r Bontnewydd. Mae Llyn Eiddwen yn sicr o fewn y cylch. Oddi yno, ac o Lyn Fanod ddwy filltir i ffwrdd, mae dwy nant yn llifo gan ymuno i lunio afon Aeron.

Mae byd o wahaniaeth rhwng tarddle'r afon a'r dyffryn llydan, ffrwythlon islaw. Yma mae'r tir yn ddu ac yn arw a'r trigolion wedi gorfod crafu bywoliaeth o'r fawnog ar hyd y canrifoedd. Ac yma mae gwreiddiau fy hynafiaid o'r ddwy ochr. Synnwn i ddim nad oedd rhai o fy hynafiaid ymhlith y werin bobol a wrthwynebodd ymgais dyn dieithr i berchnogi tir comin yn y fro hon nôl yn 1819. Dyna pryd gychwynnodd ffrwgwd a elwir Rhyfel y Sais Bach. Daeth dyn haerllug o Swydd Lincoln i'r fro ar ddiwedd 1819 ac fe aeth ati i gau tir comin yn dilyn llunio Deddf Gwnnws yn 1815. Ei enw oedd Augustus Brackenbury ac fe gychwynnodd wrthdaro a barhaodd am ddeng mlynedd.

Roedd y Llywodraeth yn cynnig gwerthu 5,000 erw o dir mewn naw o blwyfi. Fe brynodd Brackenbury 856 erw mewn saith lot am £1,750 gan ei amgáu â chloddiau, tir yn ymestyn o Droed-y-foel i Luestnewydd ac o Bant-y-gwair i Faes-crug. Fe aeth ati i lunio ffordd newydd hefyd, un sy'n cael ei hadnabod o hyd fel Lôn Sais. Ei fwriad oedd sefydlu stad hela gan hybu'r ffynhonnau oedd ar y tir a hwylio ar Lyn Eiddwen. Fe gododd Brackenbury dŷ iddo'i hun ger Bwlch y Mynydd, sef Waun-wleb, a drodd wedyn yn Green Meadow lle cyflogodd was a morwyn a hanner cant o weithwyr i godi cloddiau. Ond fe losgwyd y tŷ i'r llawr gan bobl leol a bygythiwyd Brackenbury y câi yntau ei losgi yn y goelcerth os na wnâi adael y fro.

Fe gododd ail dŷ ar dir Troed-y-foel, sef Castell Talwrn gyda thŵr yn ei ganol a ffosydd o'i gwmpas. Ond ar Fai 24, 1826, a Brackenbury wedi mynd i Aberystwyth canwyd corn gan ŵr o'r enw Siaci Ifan y gof ac ymgasglodd dros chwe chant o bobl leol o gwmpas y tŷ. Llosgwyd hwnnw eto wedi i weithwyr y Sais Bach wrthod ildio. Anfonwyd milwyr i Drefenter i holi o dŷ i dŷ ond ni ddaliwyd ond dau, John Jones neu Siaci Bach a'i fab Deio. Dihangodd Deio ar ei ffordd i Garchar Aberteifi. Ni chafwyd unrhyw un yn euog. Mae olion Castell Talwrn i'w gweld o hyd.

Yna cododd Brackenbury drydydd tŷ a'i alw'n Gofadail Heddwch. Fe ddaeth at ei goed ac fe gafodd lonydd wedyn. Ond dysgodd ei wers ac yn 1830 cododd ei bac ac aeth yn ôl i Loegr ar ôl gwerthu ei dir i bobl leol. Pan agorwyd ysgol yn y fro yn 1877 fe'i henwyd yn Ysgol Cofadail, ac yno y cefais fy addysg. Caewyd yr ysgol ganol yr wyth degau.

Fe ddaeth yna Sais dieithr arall i'r fro hanner canrif yn

ddiweddarach. Daeth Mark John Tredwell i fyw i Blas Aberllolwyn ger Llanfarian yn 1878. Am ryw reswm penderfynodd godi castell ar ganol Llyn Eiddwen. Ar gyfer y gwaith agorodd chwarel a bu dynion lleol, tad-cu ac ewythr i fi yn eu plith, yn gweithio ar y cynllun. Roedd ganddo gwch ar y llyn o'r enw '*Baby*'. Fe gynhaliai bartïon yn y castell bob penwythnos gyda gwleddoedd a llawer o yfed. Fe wnaeth e hyd yn oed ffurfio'i fyddin ei hun, y Volunteer Corps. Mae olion y castell i'w gweld yma o hyd. Gadawodd yn 1881 ac ni chafwyd unrhyw sôn amdano wedyn ar wahân i'r ffaith iddo farw yn 1930. Adnabyddir gweddillion yr adeilad o hyd fel Castell Tredwell.

Rhwng ymddangosiadau a diflaniadau'r Sais Bach a Tredwell, gwelwyd un o'r penodau mwyaf cyffrous yn hanes y Mynydd Bach, pan orfodwyd un o'r trigolion i fynd ar ffo o afael y gyfraith. Ei enw oedd William Richards neu Wil Cefen-coch a'r tebygolrwydd yw y byddai, petai wedi ei ddal, wedi gorfod dioddef y gosb eithaf.

Ar 28ain o Fis Bach, 1868 roedd hi'n noson loergan pan aeth tri o ddynion lleol o Drefenter a Llangwyryfon allan i botsian ar dir Iarll Lisburne. Roedd yr Iarll wedi cyflogi tri chiper ac un rhan amser i gadw golwg ar ei stad. Gyda Wil, a oedd yn wyth ar hugain oed roedd dau frawd, Morgan a Henry Jones, Ty'n Llwyn y tri yn cario dau ddryll a phastwn.

Roedd hi'n oriau mân y bore pan heriwyd y tri photsier gan ddau o'r ciperiaid, Richard Jones a Joseph Butler yng Nghoed Gwern Dolfor. Yna cyrhaeddodd dau giper arall, James Morgan a Morgan Evans, sef y ciper rhan amser. Fe ffodd y tri photsier ond roedd James Morgan yn dynn ar eu sodlau yng Nghoed Caergwyn. Dyma gyrraedd bwthyn Cwmbyr ac ymlaen â nhw am Gwmbyr Bach. Erbyn hyn roedd Butler wedi llwyddo i ddal fyny â nhw ac ar fin gafael yn un o'r tri pan drodd Wil a thanio. Disgynnodd Butler yn farw. Credir mai ar ddamwain y taniodd y gwn gan fod nam ar y glicied.

Llwyddodd Morgan Evans i ddal Morgan Jones ac ildiodd ei frawd Henry i'r awdurdodau'n ddiweddarach. Ym Mrawdlys y Gwanwyn Sir Aberteifi yn Llanilar ar 7 Mawrth, 1869 cafwyd Morgan yn euog o herwhela a charcharwyd ef am flwyddyn. Doedd dim digon o dystiolaeth i gyhuddo Henry.

Yn hytrach nag ildio aeth Wil ar ffo. Am ddau neu dri mis

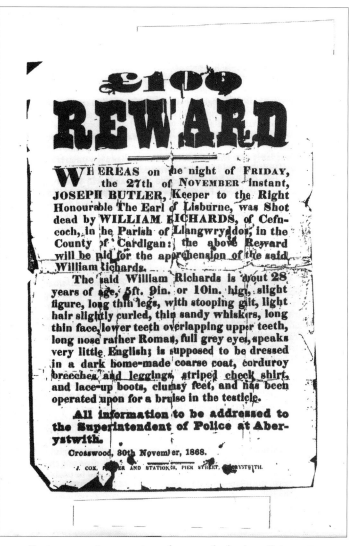

Poster yn cynnig canpunt o wobr am wybodaeth a allai arwain at ddal Wil Cefen-coch.

symudodd o dŷ i dŷ. Trefnwyd lloches iddo gan drwsiwr watsys a chlociau o Dregaron, Dafydd Joseph. Wrth i hwnnw fynd ar ei rownd byddai'n trefnu cuddfannau i Wil. Wnaeth neb wrthod. Cyhoeddwyd posteri'n cynnig can punt o wobr i unrhyw un a allai arwain at arestio Wil. Fe'u dosbarthwyd nhw ledled gwledydd Prydain, yn arbennig yn y gwahanol borthladdoedd. Cynigiwyd yr arian gan Iarll Lisburne ei hun, sef George Vaughan.

Tyfodd Wil yn chwedl yn y fro. Dywedir iddo unwaith guddio rhag yr heddlu mewn pwll rhod a'r olwyn yn troi wrth i'r ffermwr falu ŷd. Bryd arall cuddiodd yng ngwely menyw oedd newydd eni baban. Galwai'r heddlu'n rheolaidd i chwilio amdano yn nhŷ ei fam. Un dydd dyma heddwas yn galw ac yn gweiddi ar yr hen wreigan:

'Odi Wil yn y tŷ?'

Gan iddi gael llond bol ar yr heddlu dyma hi'n gweiddi:

'Odi!'

Fe gafodd yr heddwas gymaint o fraw fel iddo syrthio a thorri ei goes.

Fe gafodd Wil ddigon ar fywyd ffoadur a smyglwyd ef i harbwr Lerpwl gan Dafydd Joseph a bardd lleol, John Jones. Ond roedd yr heddlu yno'n gwylio. Yr ateb fu gwisgo Wil fel menyw a'i smyglo ar fwrdd llong. Cyrhaeddodd Bennsylvania ac aeth ymlaen i Oak Hill, Ohio lle'r oedd nifer o ymfudwyr o Geredigion eisoes wedi ymsefydlu. Newidiodd ei gyfenw i Evans a chafodd waith fel gwas ar stad fawr. Roedd e'n dal yn wyllt ei natur ac fe ymosododd ar rywun mewn tafarn. Ond yna dyma'i gariad, Bet Morgan o Bontrhydfendigaid yn llwyddo i fynd allan i ymuno ag ef. Fe briododd y ddau yn 1872.

Yn y cyfamser fe lwyddodd yr awdurdodau i ddod i wybod ble oedd Wil ac fe anfonwyd neges ato i ddweud y byddai swyddog yn hwylio draw i'w gyrchu adre. Fe anfonodd Wil neges i'r swyddog yn ei groesawu. Braf, medde fe, fyddai gweld rhywun o'r hen wlad yn dod draw. Ond os deuai drosodd, gwell fyddai iddo ddeall nad ai byth adre i Gymru wedyn. Fe wnaeth y swyddog ail-feddwl ac aros adre.

Bu farw Wil yn America ond mae ei enw a'i hanes yn dal ar gof y genhedlaeth hŷn yn y fro hon o hyd. I'r werin, roedd Wil Cefen-coch yn arwr. A dyna enghraifft arall o gymdogaeth glós y Mynydd Bach yn uno. Fe ges i'r fraint unwaith o sefyll uwch bedd Wil pan o'n i ar ymweliad ag Oak Hill. Roedd e'n brofiad rhyfedd iawn.

Cefen-coch heddiw, fferm fodern na wnâi Wil ei hadnabod

Cael gwahoddiad wnes i, fi ac Isaac Jones Frongoy gan un o drigolion Oak Hill, Ohio sef Evan Davies, un â'i wreiddiau yn ardal Llanbed. Isaac gafodd y gwahoddiad yn wreiddiol ond roedd hwnnw'n awyddus i fi fynd gydag e yn gwmni. Yn 1973 oedd hyn a bant â ni i faes awyr Heathrow ar gyfer ymweliad a barodd am dri mis. Fe gafodd Isaac a finne ein trin fel tywysogion.

Fe wnaethon ni gwrdd â nifer fawr o Gardis alltud. Roedd dau gant o bobl yn 1843 wedi mynd allan, eu llong wedi ei hadeiladu yn Llannon o goed a dorrwyd ar stad y Trawscoed. Fe fuon nhw dri mis ar y môr ac fe fu farw llawer yn oedolion a phlant a'u cyrff wedyn yn cael eu gollwng i'r dyfnder. Fe wnaeth y gweddill lanio ym Mhennsylvania a dyma nhw'n dilyn afon Ohio ar rafftiau. Fe aethon nhw mor bell â Jackson gan ymsefydlu yno i ddechrau a galw'r lle yn Gwalia, neu Gallia erbyn heddiw.

Pan gyrhaeddodd Isaac a finne Oak Hill, lle mae cannoedd o ddisgynyddion y Cymry gwreiddiol, fe wnaethon ni dreulio'r wythnos gyntaf mewn mynwentydd yn olrhain enwau'r Cymry o Sir Aberteifi. Ar y cerrig beddau roedd enwau aelwydydd o ardal y Mynydd Bach – Rhydlwyd a Chofadail yn eu plith – aelwydydd sy'n parhau yn aneddau yn y fro hon. Ac yn eu canol y glaniodd Wil Cefen Coch. Ac o'r fan honno yr aeth e i Oak Hill i weithio i dirfeddiannwr cyfoethog. Erbyn hyn roedd e wedi newid ei gyfenw.

Yn ôl hanesydd lleol roedd Wil wedi parhau'n ddyn byrbwyll, yn llawn tymer wyllt hyd y diwedd. Mae sôn amdano'n taflu cyllell at forwyn o Wyddeles a fu'n ei wawdio. Fe hedfanodd y gyllell drwy ddrych y dreser a sticio yn y pren ac mae hi yno i'w gweld hyd heddiw.

Fe roddodd grasfa wedyn i yrrwr wagen a oedd wedi clymu ei geffylau wrth goeden y tu allan i'r capel lle'r arferai Wil glymu ceffylau ei feistr pan ai â hwnnw i'r gwahanol wasanaethau. Fe yrrodd geffylau'r gwas arall i ffwrdd a chlymu ceffylau ei feistr yn eu lle. Caiff y goeden honno ei hadnabod o hyd fel Coeden Wil. Ydi, mae hanes Wil Cefen-coch yn chwedl o hyd.

Mae ardal y Mynydd Bach wedi bod yn nodedig am ei thraddodiad crefyddol erioed. Yn ail hanner y ddeunawfed ganrif roedd y fro yn fan croesi i bererinion Anghydffurfiol ar eu taith o

Golygfeydd o Gwrdd y Mynydd 1912 a 1917

Arfon a Llŷn i Langeitho i wrando ar Daniel Rowland. Byddent yn hwylio i Aberystwyth ar ddydd Gwener ac yn cerdded dros y mynd ar ddydd Sadwrn gan oedi ger ffynnon ddwy filltir o ben eu taith i dorri eu syched, i fwyta ac i orffwys. Yna byddent yn dychwelyd dros y mynydd i ddal y cychod yn ôl ddiwedd prynhawn dydd Sul. Byddai hyn yn digwydd bob yn ail fis.

Rhaid sôn hefyd am Gwrdd Gweddi'r Mynydd, a gâi ei gynnal yng nghyffiniau Llyn Eiddwen tua diwedd mis Mehefin bob blwyddyn. Fe'i cychwynnwyd, mae'n debyg, ar gae Tan Chwarel ger Lluest

Y Cerrig Llwydion lle dechreuwyd cynnal Cwrdd y Mynydd

Newydd. Yna, adeg Diwygiad 1904 – 1905 fe dyfodd ac fe'i symudwyd i gyffiniau Llyn Eiddwen. Dywedir i babell yn dal 1,100 gael ei chodi ar un adeg ond iddi fod yn rhy fach. Fe gynhaliwyd y cwrdd – neu'r cyrddau – ar y nos Iau agosaf at y dydd hwyaf a thrwy drannoeth gyda chyfarfodydd am ddeg y bore yn y capel, am ddau yn y prynhawn ac am chwech gyda'r nos yn yr awyr agored. Pan ddaeth yr arferiad o gynnal cwrdd yn yr awyr agored i ben, fe'i parhawyd yng Nghapel Bethel yn y saith degau.

Fe brofodd fy Nhad-cu, Charles Morgan sef tad fy Nhad dröedigaeth adeg Diwygiad 1904 – 05 a synnwn i ddim nad oedd e'n un o hoelion wyth y Cwrdd Gweddi.

Pan o'n i'n blentyn, y Cwrdd Gweddi oedd digwyddiad mawr y flwyddyn ac fe fyddai'n rheidrwydd arnon ni blant fod yno. Rwy'n cofio amdano'n cael ei gynnal ar ddau safle gwahanol. Roedd un ar Bant-y-gwair nid nepell o'r fynedfa i Gofadail ger y Cerrig Llwydion. Ond yn union o flaen yr Ysgol Cofadail y'i cynhaliwyd yn ystod y blynyddoedd diwethaf. Ysgol Pant-y-gwair, gyda llaw oedd yr hen enw ar yr ysgol. Dyna fyddai Nhad yn ei galw bob amser. Fe fydde cannoedd yn tyrru yno i'r Cwrdd Gweddi. Fe fedra'i gofio milltir o fysus wedi eu parcio ar ochr y ffordd o Groesffordd Troed-y-foel i Chwarel Rhydfudur.

Yn y capel ar y nos Sul cyn y Cwrdd byddai'r gynulleidfa'n aros ar ôl ac yna fe gâi pawb orchwyl i'w wneud. Byddai pawb yn cyfarfod wedyn ar ôl cinio ar y dydd Iau. Ar gyfer yr ŵyl wedyn fe gâi tân ei gynnau yn y fynwent, y glo wedi'i archebu rhag blaen a'r boeler mawr wedi ei lenwi â dŵr. Yn y festri fe fyddai'r menywod wrthi'n paratoi bwyd o fore gwyn tan nos. Felly hefyd yn Ysgol Cofadail.

Fel llwyfan fe gâi dwy gambo eu gosod fel seiliau, gambo Hafodlas a gambo Tad-cu. Yna fe fydde Davies y Saer, un o hoelion wyth Bethel a thad y Parchedig John Davies, y Gopa wrthi'n adeiladu'r llwyfan. Gydag e byddai Dan, brawd John Davies. Roedd ganddyn nhw safle gwaith saer yn Nhŷnewydd, a'r injan lif yn hymian byth a hefyd. Fe gai'r planciau a'r meinciau eu tynnu allan o lofft adeiladau Capel Bethel, lle caent eu storio. Fe gymerai oriau i Edward Davies osod y cyfan yn ei le rhwng goledd daear fyw a'r ddwy gambo. Yna câi'r bwrdd a'r Beibl a'r stolion i'r blaenoriaid ac yna'r piano eu gosod ar y llwyfan.

Dim ond y pregethwyr mawr gâi wasanaethu yng Nghwrdd Gweddi'r Mynydd. Ac fe fydden nhw'n darparu sioe, rhai i'w clywed yn gweiddi a bloeddio ymhell cyn cyrraedd o gryn chwarter milltir i ffwrdd. Roedd y peth yn codi arswyd arnom ni blant. Adeg y gwasanaeth wedyn fe fydde yna borthi diddiwedd a phawb yn cymryd rhan.

Fe fydde Nhad bob amser yn dweud mai'r un mwyaf nodedig glywodd e erioed oedd Daniel Lewis Jones, Esgair-hendy, Blaenpennal. Arwerthwr a ffermwr oedd e o ran ei waith ac fe fydde'i lais i'w glywed dros bobman. Fe fydde'n cyhoeddi'r emyn wrth iddo gerdded i mewn drwy'r drws. Fe gofiai Nhad un o'i bregethau'n arbennig, honno am y Llais, sef Duw yn galw ac yn hawlio un o'r plant oddi ar yr aelwyd iddo'i hun. A Daniel, fel y tad, yn gorfod dewis p'un, hynny yw, yn gorfod penderfynu p'un o'i blant fedrai e sbario orau. Ac yna gwaedd, a Daniel yn mynd i berorasiwn: 'Arglwydd, cymer fi yn hytrach!' A dyma'r lle'n ferw a'r hetiau a'r hancesi'n cael eu taflu i'r awyr.

Yn y capel fyddai gwasanaeth y bore ac yna'r cyfarfodydd

Capel Bethel, canolfan crefydd a diwylliant yn nyddiau plentyndod

prynhawn a'r nos yn yr awyr agored. Yn dilyn cwrdd y bore yn y capel fe welid gorymdaith anferth yn cerdded y filltir o Fethel i Bant-y-gwair.

Roedd Cwrdd Gweddi'r Mynydd yn achlysur pan fyddai alltudion y fro'n dod adre i'r Sowth. Dod i'r Cwrdd Gweddi fyddai eu gwyliau blynyddol. Dod adre fydde llawer i roi cyfle prin i'r hen bobol i weld yr wyrion a'r wyresau. Hwn fyddai eu hunig wyliau yn y flwyddyn. Hynny yw, y mab a'r ferch yn dod adre â'u plant er mwyn i'r hen bobol a'r teuluoedd gartref gael eu gweld. Roedd y Cwrdd yn rhyw fath o aduniad. Wythnosau cyn yr achlysur fe fydde'r llefydd bach yn cael eu gwyngalchu a'r gerddi'n cael eu twtio.

Cofiwch, roedd Cwrdd Gweddi'r Mynydd yn achlysur cymdeithasol hefyd. Byddai meibion a merched yn dal ar y cyfle i gyfarfod â'i gilydd ar y slei. Synnwn i ddim nad oedd hanner poblogaeth y Mynydd Bach wedi eu cenhedlu adeg Cwrdd Gweddi'r Mynydd. Rwy'n cofio rhywun yn dweud fod mwy o bechu yng Nghwrdd y Mynydd fesul llathen sgwâr nad oedd yn rhai o ardaloedd mwyaf drygionus Llunden!

I Gapel Bethel fyddwn i'n mynd i addoli, lle bu Tad-cu'n flaenor am hanner canrif. Fe ges i fy ethol yn Drysorydd y capel yn bedair ar ddeg oed gan olynu Edward Jones, Y Llain. Flynyddoedd yn ddiweddarach fe ddaeth Glyn Griffiths yn weinidog i'r fro. Fe wnaeth e greu adfywiad. Doedd y Weinidogaeth ddim wedi cael ei hel ers blynyddoedd ac fe wnaeth e fy mherswadio i gymryd at y gwaith yn ei gwmni ef. Ac fe wnaeth y ddau ohonon ni fynd o gwmpas yr aelodau i gasglu tâl y weinidogaeth am flynyddoedd.

Mae hon yn ardal gyfoethog ei diwylliant. Gerllaw Banc Llyn, lle dwi'n byw mae cofeb i bedwar bardd ac awdur lleol, J. M. Edwards, Ben Hopkins, Tom Hughes Jones a Prosser Rhys. Roedd dau ohonyn nhw, J. M. Edwards a Prosser Rhys yn feirdd Coronog Cenedlaethol. Enillodd Prosser Rhys Goron Pont-y-pŵl yn 1924 gyda'i bryddest 'Atgof'. Fe enillodd J. M. Edwards deirgwaith, ym Machynlleth yn 1937, yn Hen Golwyn yn 1941 ac yna yn Llandybie dair blynedd yn ddiweddarach. Roedd B. T. Hopkins yn awdur un o gywyddau gorau'r iaith, 'Rhos Helyg'. Yn wir, mae'r cywydd yn sôn am dirwedd y Mynydd Bach. Roedd Tom Hughes Jones yn awdur toreithiog, ei waith yn cynnwys y ddwy gyfrol 'Amser i Ryfel' a 'Sgweier Hafila'.

Ro'n i'n nabod tri o'r pedwar. Roedd Ben Hopkins yn ffermio gerllaw ym Mrynwichell. Roedd Prosser Rhys yn byw'n agos wedyn yn y Morfa Du lle'r oedd ei dad yn of. Fe wnaeth Prosser alw un dydd Sul yn Nhroed-y-rhiw ar ei ffordd i Gapel Bethel i gyd-gerdded gyda fy Nhad-cu, Charles Morgan i un o'r gwasanaethau. Roedd Tad-cu, fel blaenor yn mynychu'r oedfaon deirgwaith bob dydd Sul. Tua deg munud i ddau, a'r cwrdd prynhawn ar fin dechre roedd hi'n tywallt y glaw. Dyma Prosser yn edrych allan drwy'r ffenest. Yna dyma fe'n pwyso ar y bwrdd ac yn cau ei lygaid gan adrodd:

Gwrando arnaf, Arglwydd mawr,
Atal y glaw rhag dod i lawr,
Cawod ar ôl cawod sydd
Yn fy nilyn nos a dydd.

Mae'n rhaid iddo gyfansoddi'r llinellau yno ar y pryd. Prosser wnaeth ddysgu Nhad i adrodd. Fe wnes i gystadlu fel adroddwr dano fe droeon gan ennill bob tro. Wnes i ddim erioed adrodd un o ddarnau Prosser chwaith. Cynan oedd y ffefryn. Fe ges i'r fraint unwaith o adrodd un o'i ddarnau mewn cyngerdd, a'r bardd ei hunan yn bresennol yn y gynulleidfa. Fe wnaeth e ddiolch i fi ar y diwedd. Rwy'n cofio'r darn, 'Pabell y Cyfarfod' o hyd:

Methais weled Duw yn Fflandrys,
Methais wedyn ar y Somme,
Yr oedd niwloedd oer amheuaeth
Wedi llethu 'nghalon drom;
Yr oedd y ffrwydradau hynny
Oedd yn siglo'r byd i'w wraidd
Yn dirgrynu ffydd fy enaid
Hyd ei gwreiddiau hithau braidd.'

Mae hi'n gerdd hir ond fe fedrwn i adrodd y darn cyfan petai raid. Yn Llanrhystud oedd cartref J. M. Edwards, tŷ o'r enw Royal Diadem cyn iddo symud i'r Barri ond fe fyddai'n treulio llawer o'i amser gyda Ben Hopkins. Yr unig un o'r pedwar nad o'n i'n ei nabod oedd Tom Hughes Jones.

Mae sôn am gymdeithas glós heddiw'n ystrydeb. Ond dyna beth oedd y Mynydd Bach, nifer o gymunedau bach yn ffurfio un gymdeithas fawr. I fi mae'r fro yn fath ar feicrocosm o Gymru. Rwy'n fwy o frogarwr nag o wladgarwr. Fe ysgrifennodd Prosser Rhys am y rheidrwydd o undod rhwng bro a thrigolion.

> Ond glynu'n glós yw nhynged
> Wrth Gymru fel y mae
> A dewis, er ei blynged,
> Arddel ei gwarth a'i gwae;
> Bydd Cymru mwy, waeth beth fo'i rhawd
> Ym mêr fy esgyrn i a'm cnawd.

Yn anffodus, lle methodd y Sais Bach a Tredwell fe lwyddodd y mewnlifiad diweddar i newid cymeriad y Mynydd Bach yn llwyr. Heddiw ry'n ni'r Cymry Cymraeg mewn lleiafrif. Ond mae'r fro'n dal 'ym mêr fy esgyrn a'm cnawd' innau. Yma dw'i wedi byw erioed, ac yma y gwnâi dreulio gweddill fy nyddiau yn un o'r 'cwmni bychan' o 'gymrodyr gwiw'. A phan ddaw'r amser i fy ngosod i yn y bocs pren, fe fyddai'n dal yma yn rhan o'r tir.

2.

Clymau teuluol

I ni, bobol y mynydd mae gwreiddiau'n bwysig. Mae'r cof teuluol yn golygu mwy i bobol y wlad rhywfodd. Mae e i'w wneud â thragwyddoldeb y mynyddoedd, hwyrach. Ac mae'r cof teuluol hwnnw'n mynd â fi'n ôl i gyfnod fy nau dad-cu, y ddau â'u gwreiddiau yma ar asgwrn cefn Sir Aberteifi, ac at un hen fam-gu ar ochr Nhad. Ac yn arbennig at un hen dad-cu ar ochr Mam. Morganiaid oedd y ddwy ochr, gyda hynafiaid y naill ochr wedi dewis aros yn eu bro tra'r ochr arall wedi codi pac i chwilio am waith ar y ffin â Lloegr. A'r ddau deulu, yn rhyfedd iawn yn perthyn i'w gilydd o bell. Ac fe wnaeth ffawd, mewn rhyw ffordd ddigon rhyfedd, ein hail-uno wedi blynyddoedd o fod ar wahân.

Roedd un tad-cu, ar ochr Nhad, yn byw gerllaw yn Nhroed-rhiw yn Nhrefenter. Bu Charles Morgan, y cyfeiriais ato eisoes yn alltud yn y gweithiau glo am gyfnod lle collodd ei frawd hynaf, Dafydd a mab pymtheg oed hwnnw yn nhrychineb Senghennydd yn 1913. Yn y danchwa uffernol honno fe gollodd 439 o lowyr eu bywyd. Ond dychwelodd Charles i grafu bywoliaeth fel bwtsiwr a masnachwr creaduriaid, traddodiad teuluol sy'n mynd yn ôl genedlaethau.

Am yr hen Dad-cu, sef Tad-cu fy Mam, gadael y fro'n fachgen ifanc wnaeth hwnnw a llwyddo i sefydlu busnesau llwyddiannus iawn yn ardal Croesoswallt cyn i'w or-wyres briodi Nhad a dod adre at wreiddiau'r teulu i Drefenter. Fe adawodd fy hen Dad-cu ei farc yn llythrennol ar stesion Croesoswallt, lle gellir gweld ôl ei grefft hyd heddiw. Ond mwy am hynny yn nes ymlaen.

Roedd cartref Charles Morgan, tad fy Nhad ger Capel Bethel,

Trefenter lle bu'n flaenor am hanner can mlynedd. Yn dilyn colli ei frawd a'i nai yn Senghennydd fe aeth lawr yno'r holl ffordd gyda'i geffyl a'i gambo fach i gludo'r teulu a'u heiddo prin yn ôl i'r Mynydd Bach. Gan fod y penteulu wedi'i ladd, roedd ei weddw a'r plant yn cael eu troi allan o'u cartref. Perchennog y lofa oedd perchennog tai'r glowyr hefyd. A doedd dim lle i sentiment.

Fe gawson nhw loches yn Nhan-y-foel ar dir y Plwyf. Ac oni bai fod Tad-cu'n medru bwtsiera, ac iddo gyfrannu rhyw amrywiol gigach iddyn nhw, fe fydden nhw wedi clemio. Fe wnaethon nhw'n aml orfod bwydo'u hunain â chawl wedi'i wneud o bennau defaid ac esgyrn. Ond fe fyddai cymdogion hefyd yn cyfrannu ambell enllyn, tatw a gwahanol lysiau eraill ar gyfer cynhaliaeth y teulu. Roedd hynny mewn dyddiau pan oedd cymdogaeth dda yn beth cwbl naturiol a chyffredin.

Roedd bwtsiera yn y gwaed. Roedd tad a mam Charles yn fwtseriaid. Fe fedra'i olrhain bwtsieriaid y teulu'n ddi-dor yn ôl dros dri chan mlynedd. Fe ddechreuodd Tad-cu fwtsiera dan gyfarwyddyd ei dad ei hun pan nad oedd e ond yn blentyn. Fe fyddai'n mynd o gwmpas ffermydd a thyddynnod y fro i ladd, ffermydd fel Llwynhowel, Rhiwgraidd a'r Moelwyn, ag yntau'n ifanc. Tyddyn bach tair erw oedd y cartref, a'r bwtsiera'n angenrheidiol er mwyn cynhaliaeth.

Roedd e'n un o deulu mawr Caenewydd, er mai yn Nhroedrhiw y magwyd ef, ac yno y treuliodd ei fywyd bron i gyd. Roedd Lewis Caenewydd, un o frodyr Tad-cu yn un o'r dynion cryfaf erioed. Fe fedrai symud dram lawn yn y pwll glo lle'r oedd e'n haliwr. Petai dram yn llithro oddi ar y rheiliau, fe fydden nhw'n galw am Lewis. Fe fydde hwnnw'n gosod ei ysgwydd o tani a'i gwthio'n ôl i'w lle. Fe etifeddodd ei fab Dai'r cryfder hwnnw hefyd.

Mae yna hanes rhyfeddol y tu ôl i enedigaeth Tad-cu. Un diwrnod roedd y fam, Catherine ar ei ffordd adre ar ôl bod â llwyth o gig yn Aberystwyth. Roedd hi ar fin geni plentyn. Ar dop Pencuog fe aeth i boenau geni. Ond teimlai y gallai gyrraedd gartref mewn pryd. Dyma hi'n annog y ceffyl bach ymlaen. Troi yn Llangwyryfon am Drefenter, fyny i riw Pengelli, heibio Ty'n Cefen. Ymlaen â hi i Faesbeidiog, a'r poenau'n dwysau. Gwyddai na fedrai gyrraedd gartref erbyn hyn.

Yma ar lan Nant Beidiog y ganwyd Tad-cu

Ond roedd hi'n benderfynol o gyrraedd cartref ei chwaer gerllaw yn Nhroedrhiw mewn pryd. Fe fethodd, a ganwyd y plentyn ar lan afon Beidiog ger Llwynbedw. Fe'i hymgeleddodd e'i hunan a'i olchi yn yr afon. Yna fe'i lapiodd yn y lliain oedd wedi bod o gwmpas y cig. Ac ymlaen â hi at ei chwaer yn Nhroedrhiw. Y dyddiad oedd 4 Mawrth, 1867.

Roedd ei chwaer Elizabeth, neu Leisa, yn ddibriod, a chanddi frawd iddi yn byw yno hefyd ond ei fod lawr yn y pyllau glo ar y pryd. Fe sugnodd y baban newyddanedig lond bol o laeth ei fam. Yna fe osododd Leisa'r baban yn ei gwely ei hun. Pan aeth hi allan i'r beudy'n ddiweddarach roedd y fuwch ddu'n geni llo. Yn y cyfamser fe aeth y fam adre i nôl dillad glân gan feddwl dychwelyd y bore wedyn. Ond pan gododd hi fore trannoeth roedd eira'n drwch dros

Troedrhiw, hen gartref un ochr o deulu'r Morganiaid

bobman. Fedrai hi ddim mynd allan o'r tŷ. Fe fu hi dair wythnos heb fedru mynd o gyffiniau'r tŷ. Roedd ganddi lond tŷ o blant gartre. Ond ofnai fod y baban wedi marw.

Pan gyrhaeddodd gartref ei chwaer o'r diwedd roedd y baban yn llond ei groen, a llaeth torrog y fuwch ddu wedi ei gadw'n fyw. Yna fe aeth y fam draw i Bengraig, ddau led cae i ffwrdd. Yn byw yno roedd yna deulu bach, a'r plant wedi tyfu'n weddol. Yno fe gafodd ddillad i'r baban ynghyd â chrud. Ac o flaen tân mawn yn Nhroedrhiw y magwyd Charles gan i'r chwaer ei fabwysiadu. Dyna i chi beth oedd tlodi. Pan glywa'i rywun yn cwyno am dlodi ar y teledu heddiw rwy'n teimlo fel hitio carreg at y sgrin.

Nawr, roedd hi'n ddigon anodd ar ffermwyr y Mynydd Bach. Ond roedd bywyd y menywod yn galetach fyth. Nhw oedd fwyaf arwrol yn magu llond tŷ o blant ac yn dal i lafurio yn y cartref ac ar y caeau. Fe ges i stori ryfeddol gan Dai, mab Lewis a chefnder i Nhad oedd wedi bod yn gweithio fel gwas bach ar fferm go fawr, Rhandir-uchaf yn Llangwyryfon.

Fe ddaeth yn adeg torri llafur, hynny yw torri â'r injan fach a rhwymo. Byddai llond cae o bobol weithiau yn crynhoi i helpu.

26

Stabl Capel Bethel. Ar ei lofft y derbyniodd Tad-cu ei addysg

Erbyn tua dau o'r gloch roedd digon o gymdogion wedi dod ynghyd i alluogi'r ffermwr i anfon ei wraig adre. Ond dywedodd wrthi am ddod yn ôl am hanner awr wedi tri gyda the i'r gweithwyr.

Lawr â hi ribyn go faith i'r tŷ. Fe ddaeth yn hanner awr wedi tri. Dim sôn am y te. Dyma hi'n mynd yn bump, ac fe welwyd y wraig yn dod fyny â'r fasged fwyd a'r te. A phawb yn eistedd lawr ar eu hysgub i yfed a bwyta. A dyma'r gŵr yn gofyn yn hamddenol i'w wraig beth oedd wedi ei chadw gyhyd.

'O', medde hi, 'pan ddowch chi lawr nes ymlaen fe gewch chi weld fod gyda ni ragor o deulu. A dw'i am fynd â Dai'r gwas lawr gen i. Fe gewch chi gario mlân. Fe ddaw Dai bach a fi i ben â godro.'

Oedd, roedd hi newydd eni plentyn yn y tŷ. Ac yn barod i fynd i odro gyda help Dai. Ond dyna i chi enghraifft o sut oedd hi ar y menywod ar y Mynydd Bach yr adeg honno.

Meddyliwch am aelwyd teulu Tad-cu. Roedd yno naill ai bedwar ar bymtheg neu un ar hugain o blant. Wn i ddim faint yn iawn. Roedd ei fam, fel y soniais yn medru bwtsiera. Roedd hi wedi dysgu'r grefft yn groten oddi wrth ei thad. Jones oedd hi, ond dyma hi'n priodi i mewn i'r Morganiaid, ac yno y daeth y cwrw i mewn i'r teulu.

Roedd Tad-cu'n enwog am ei hoffter o godi'r bys bach. Ond adeg Diwygiad 1904 cafodd droedigaeth a gadawodd y ddiod feddwol yn llwyr.

Fe ddechreuodd Tad-cu weithio'n rheolaidd yn un ar ddeg oed ar ôl gadael yr ysgol. Fe gafodd ei addysg uwchben stabl gyferbyn â chapel Bethel. Roedd yno gartws hefyd, y ddau adeilad wedi eu codi o flaen y capel ar gyfer pregethwyr fyddai'n bwrw'r Sul yno. Fan honno fydden nhw'n cadw deunydd ar gyfer Cwrdd Gweddi'r Mynydd, yr oedfa awyr-agored flynyddol. Roedd yno 'long room' hefyd, ac yno y câi plant Bethel eu haddysg cyn codi Ysgol Cofadail.

Fe ddaeth allan o'r ysgol, a'r gwaith cyntaf a gafodd oedd bugeila gwartheg, fel yn yr hwiangerdd Saesneg 'Little Boy Blue'. Roedd ef a bachgen arall lawer yn iau yn bugeilio gwartheg yn Hafod Las. Doedd yna ddim cloddiau, heb sôn am ffensys felly rhaid oedd cadw'r gwartheg allan o'r caeau gwair ac ŷd. Roedden nhw'n gorfod bod yno erbyn wyth o'r gloch y bore ac yn cael mynd adre am chwech o'r gloch y nos. Cyn mynd allan fe gai'r ddau frecwast da gan hen wreigan y tyddyn a byddai'r forwyn yn dod â bwyd iddyn nhw ganol dydd. Wedyn fe fyddai yno gawl twymo cyn mynd adre.

Roedd Tad-cu wedi sylwi nad oedd y crwtyn bach arall yma'n bwyta'i fwyd canol dydd ond bob yn ail ddiwrnod. Bob yn eilddydd fe fyddai'n cuddio'r bwyd ym môn y sietyn. Ac un dydd dyma Tad-cu yn gweld merch ifanc â siôl dros ei phen yn oedi o gwmpas y lle. A dyma fe, o'r diwedd, yn gofyn i'r crwt pam nad oedd e'n bwyta ond bob yn eilddydd. A'i ateb e oedd ei fod e'n gadael y tocyn bob yn eilddydd i'w fam. Yr hanes oedd iddi gael ei throi allan wedi iddi eni'r plentyn gordderch a'i hanfon i fyw i hen dyddyn bach ar y topiau. Wedi i Charles ddeall beth oedd y sefyllfa fe fyddai'n rhannu ei docyn ei hun â'r crwt fel y câi'r fam fwyd bob dydd. Bu farw'r fam yn fenyw ifanc o'r diciâu.

Mae stori arall amdano'n bedair ar ddeg oed yn un o ddeunaw o bladurwyr ar fferm heb fod ymhell iawn lle'r oedd dau frawd yn ffermio. Bara caws a the oedd cynhaliaeth y pladurwyr. Ond byddai'r brodyr yn rhoi sinsir yn y caws i'w gwneud hi'n anodd ei fwyta. Roedd disgwyl i Charles dorri erw o ŷd y dydd. Pan ddaeth yn amser iddo gael ei dalu fe geisiodd y brodyr ei dwyllo drwy fynnu fod ei

28

ystod ef yn llai nag un y dynion ac na ddylai o'r herwydd gael ei
dalu'n llawn. Fe ddywedodd wrth y brodyr am stwffio'u harian. Nôl
ag e i Droedrhiw i ddweud wrth Leisa, ei fam wen. Dyma honno'n
gwisgo'i chôt ac yn brasgamu draw i fferm y ddau frawd. Fe'u gwelon
hi'n dod o bell a chael llond twll o ofn. Dyma nhw'n gweiddi arni.
    'Ma' arian Charles yn saff!'
    A Leisa'n gweiddi nôl:
    'Gwell iddo fe fod, neu fe fyddai lan fan'na i'ch setlo chi'r
diawled!'
    Ar ôl bugeila gwartheg a llafurio'n lleol fe aeth Tad-cu i weithio ar
wahanol ffermydd mewn ardaloedd cyfagos. Un o'r ffermydd hynny
oedd Cynnull-mawr, Tal-y-bont. Roedd y ddau deulu'n ffrindiau. Ac
yno'r aeth Charles yn llanc ifanc. Fe fyddai'n mynd allan â thri
cheffyl yn tynnu aradr dwy-gast. Fe fyddai'n cychwyn mor fore fel y
byddai'n gorfod cynnau matsien er mwyn gweld yn ddigon da i roi'r
hen gaseg yn y rhych. Fe fyddai'n dilyn y ceffylau tan amser te deg.
Yna ailgychwyn a'r tri cheffyl yn gorffen am y dydd am un o'r gloch
y prynhawn. Yna byddai'n cael tri cheffyl ffres am ddau o'r gloch ac
fe fyddai'n dilyn y rheiny, os fyddai'n ddigon golau, tan saith. Erbyn
deg fe fyddai yn y llofft stabal yn cysgu uwchben y ceffylau.
    Fe sylweddolodd wedyn fod mwy o gyfle a chyflog lawr yn y
Sowth yn y pyllau glo. Roedd rhai o'i ffrindiau yn y gwaith glo yn cael
trafferth i ddofi ceffylau, ddim yn unig geffylau'r gwaith ond ceffylau
ar eu tyddynnod hefyd. Fe fyddai gan lawer o'r glowyr eu tyddyn
bach. Roedd Charles yn ddiguro am gwympo ceffyl, dim ond cydio
yn ymyl ei glust ac yn ei drwyn ac yna'i ddwy fraich yn plygu'r ceffyl
nes oedd y creadur ar lawr. Ond roedd Lewis yn gryfach fyth. Pan
oedd e adre ac yn gweithio ar y tir fe allai godi'r aradr neu'r mowlder
ar ei gefn a'u cario nhw dros ben ffensys heb feddwl ddwywaith o un
cae i'r llall.
    Roedd Charles yn dod at ddiwedd tymor ei gyflogaeth ac fe fu
hynny'n help wrth i Lewis ei demtio i godi ei bac. Lawr â nhw gyda'u
cistiau dillad i'r lofa. Yno fe gaen nhw'u cludo mewn trap a phoni o
gwmpas gwahanol ffermydd. Fe allai fod yna bump neu chwech o
geffylau dwyflwydd ar ambell fferm i'w dofi. Fe fu'r ddau wrthi am
gyfnod yn gwneud y gwaith hwnnw heb sôn am weithio yn y lofa.

Ceffylau anystywallt yn aml fyddai ceffylau'r gwaith glo a byddai angen eu dofi. Roedd e'n arferiad ymhlith perchnogion ceffylau'r cyfnod, os byddai ceffyl yn tueddu i fod yn wyllt, neu wedi 'bolto', a bod rhyw nag arno fe, mai i'r mart gâi e fynd, i Lanybydder, falle neu i Ffair Rhos. Ac os gâi e'i brynu, yna ymlaen i'r pwll gâi e fynd.

Roedd y lofa lle gweithiai Charles yn enwog am y gwres llethol dan ddaear. Roedd hi mor boeth yno fel mai dim ond trôns fyddai am y colier. Yna dyma'u galw nhw fyny un diwrnod i wneud gwaith ar yr wyneb, lle'r oedd hi'n rhewi'n gorn. Bu'r newid tymheredd sydyn yn ddigon am fywyd nifer ohonyn nhw. Ag yntau'n dioddef o niwmonia, fe ddaliodd Charles y trên o Dreorci ac yna cerdded wyth i naw milltir adre o stesion Tregaron.

Gelod wnaeth achub ei fywyd. Yn wir, fe ddaeth Charles yn arbenigwr ar fagu gelod a'u hurio nhw allan i gleifion a oedd am gael gwared ar waed drwg. Fe fyddai'n prynu'r gelod oddi wrth y fferyllydd, neu'r drygist, fel y byddai e'n ei alw. Fe ddechreuodd y diddordeb wedi iddo ddefnyddiodd gelod i achub ei fywyd ei hun pan oedd e'n wael. Erbyn hyn mae'r defnydd o gelod ar gyrff cleifion wedi ailgychwyn. Fe fu Charles yn cadw gelod am flynyddoedd, a phoblogaeth ardal eang yn gwybod amdano ac yn galw am feddyginiaeth.

Fe fyddai'n cadw'r gelod ar blât a phan fyddai rhywun am eu hurio, fe fyddai'n gofalu peidio â'u bwydo nhw. Fe fyddai rhywun yn dioddef o niwmonia yn gosod gelod ar eu brest, a'r gelod wedyn yn sugno gwaed drwg allan. Pan alwai'r meddyg fe fyddai'n marcio brest y claf ar ffurf cylch â phensil piws o gwmpas y man lle'r oedd y drwg. Ym mhen pedwar diwrnod byddai'r meddyg yn medru dweud beth fyddai tynged y claf. Pan fyddai'r cnawd llidiog yn clirio fyny at farc y pensil, fe wyddai'r meddyg fod y salwch yn cilio a bod yna obaith.

Wedi i'r gelod lenwi eu boliau fe gaent eu tynnu'n rhydd ac fe aent i gysgu. Yna fe gâi dŵr a halen ei chwistrellu drostyn nhw ac fe fydden nhw'n chwydu'r gwaed drwg allan.

Wedi iddo wella'n weddol dyma Charles yn digwydd galw gyda hen wreigan Brynamlwg. Roedd honno'n methu â chael gwared o'i defaid tewion. Doedd neb am eu prynu. A dyma hi'n dweud wrth Tad-cu, 'Wel, Charles mae bwtsiera yn dy waed ti erioed. Paid mynd nôl i'r pwll glo byth eto. Pam na wnei di ddechre bwtsiera?'

'Ar beth wnâi ddechre?' gofynnodd Tad-cu. 'Rwy'n mynd i ddyled fel mae hi eisoes.'

'Wel,' medde'r hen wreigan, 'Alla'i ddim cael gwared â'r defaid yma. Maen nhw'n dew, ond does neb eu heisiau nhw. Gwertha nhw, a thala fi pan fedri di'r flwyddyn nesaf.'

A dyna sut ddechreuodd e. Fe ddaeth pobol i wybod amdano gan sylweddoli ei fod e mor onest â'r dydd. Yn wir, flynyddoedd yn ddiweddarach fe fydde Nhad yn edliw iddo nad oedd e'n codi digon am y cig. Roedd e'n rhy hael i'w les ei hun. Hynny yw, doedd dim digon o gythraul ynddo fe i fod yn ddyn busnes llwyddiannus.

Fe ddechreuodd ehangu wedyn i brynu a gwerthu lloi. Mae yna stori amdano'n cerdded lawr i Fethania ac ymlaen am Dal-sarn a thros y top gan gyrraedd Llanddewibrefi erbyn nos. Dyma gyrraedd cyn stop tap, oedd am naw bryd hynny, llenwi ei fol â chwrw, bara a chaws. Yna'r bore wedyn ymlaen ag e i Fronnant ac adre ar ôl cylchdaith o tua ugain milltir.

Erbyn hyn roedd e wedi cwrdd â'i ddarpar wraig, Jane. Fe briododd y ddau pan oedd Jane ond yn ddeunaw oed ac yntau'n dair ar hugain. Gwerthu ymlaen i siopau oedd Tad-cu, ac i un siop yn arbennig, Hughes y Bwtsiwr yn Aberystwyth lle mae Siop y Pethe heddiw. Hughes oedd ei unig gwsmer o bwys. Charles fyddai'n prynu, yn lladd ac yn cyflenwi ar gyfer y siop. Fe fydde fe'n cludo'r cig o Drefenter ar drap a phoni, math ar gert fflat debyg i gambo fach.

Bu yn Nhroedrhiw am saith a phedwar ugain mlynedd, ar wahân i'w gyfnod yn y Sowth. Mae yna hanesyn sy'n dweud i'r tân losgi heb ddiffodd unwaith ar aelwyd Troedrhiw mewn tair a thrigain o flynyddoedd. Ar garreg fedd Tad-cu a Mam-gu ym mynwent Bethel mae yna drydydd enw, un Elizabeth Jones. Mae sawl un wedi gofyn i fi pwy oedd y fenyw honno. Wel, hi wnaeth fagu Tad-cu wedi iddo fe gael ei eni ar lan afon Beidiog.

O Fronnant yr hanai Jane, sef Mam-gu. Roedd hi'n chwaer i

wraig gyntaf dyn busnes amlwg yn y cylch, R. O. Williams a oedd yn bobydd ac a fu'n berchen ar siop yr Emporium yn Nhregaron. Yn yr Emporium, lle mae Siop Rhiannon heddiw fe fedrech brynu unrhyw beth o sêffti pin i siwt briodas. Roedd Jane yn fenyw gadarn a phenderfynol. Roedd gofyn iddi fod er mwyn dygymod â Charles.

3.

Codi pac

Ar ochr Mam rhaid mynd yn ôl at hanes ei thad-cu i gael yr hanes yn llawn. Roedd yna fusnes seiri yn yr ardal gyda thri brawd yn ei redeg, a'r pryd hynny rhaid fyddai ymrwymo ar gyfer prentisiaeth am dair neu bedair blynedd. Teulu'r prentis oedd yn gorfod talu ac roedd tad-cu Mam, sef fy hen Dad-cu i eisoes wedi gweithio yno am dair blynedd. Un dydd fe'i hanfonwyd e i Aberystwyth at gwmni M.H. Davies, dwi'n meddwl ar ben uchaf Stryd y Bont. Cwmni nwyddau haearn oedd hwn, yn eu plith offer fferm fel rhacanau gwair, injans lladd gwair ac ati. Roedd ei gyflogwyr wedi ei anfon i gasglu sgriws a phinnau metel gan roi iddo ddwy geiniog i brynu te a chacen. Tra bod y nwyddau'n cael eu pacio fe aeth am dro, a dyma weld stesion y dref ar hanner ei chodi ac arwydd gerllaw'n apelio am weithwyr. Fe'i temtiwyd e gan yr arian mawr a allai ennill ac fe gynigiodd y fforman waith iddo fel crefftwr. Teimlai'r fforman ei fod e'n rhy dda i fod yn labrwr.

Dyma fynd adre â'r nwyddau ac fe ddywedodd wrth ei dad ei fod e'n gadael ei brentisiaeth i gymryd at y swydd yn y dre. Fe ddigiodd ei dad. Teimlai fod y mab wedi torri ei air fel prentis ac fe fygythiodd ei ddanfon o'r cartref. Ond glynodd y mab at ei benderfyniad a chododd ei bac. Doedd ganddo fe ddim lle i fyw felly fe gysgai ar iard y gwaith o dan darpolin. Gyda'r nos fe ddeuai rhai o fenywod y dre draw i chwilio am goed tân. Fe gymerodd un hen wraig ddiddordeb ynddo yn ei drueni a'i wahodd i'r tŷ. Roedd hi'n byw yn Nhrefechan. Ac yno heb fod ymhell o le mae tafarn y Ffownten heddiw fe gafodd loches.

Er bod ei deulu wedi cefnu arno, fe aeth ei fam i'w weld ymhen pythefnos. Mam yw mam wedi'r cyfan. Ond roedd e'n fachan styfnig a dal ei dir wnaeth e, a phan ddaeth y gwaith i ben fe symudodd ymlaen gyda'r cwmni ar hyd y lein tua'r dwyrain.

Fe ddilynodd y gwaith o stesion i stesion gan ddod i ben yng Ngobowen. Treuliodd y cyfnod hiraf yng Nghroesoswallt ac ar y bont sy'n croesi o blatfform i blatfform mae llythrennau cyntaf ei enw i'w gweld mewn cylch, sef JEM, John Edward Morgan.

Yng Ngobowen fe gwrddodd â gŵr ifanc arall. Fe gychwynnodd hwnnw ar fusnes mendio beics penny-farthing a graddio i fendio ceir. Dyna gychwyn cwmni Vaggs Motors, Croesoswallt. Fe gafodd Tad-cu gontract i godi sied i'r cwmni. Yna aeth ati i sefydlu ei fusnes ei hun. Sefydlodd ei fusnes yn Welsh Walls yng Nghroesoswallt ar ben uchaf Willow Street. Fel rhan o'r busnes roedd ganddo chwe hers. Yn y dre bu'n gyfrifol am adeiladau rhannau helaeth o Park Avenue, Arundale Road a Salop Road. Ef fu'n gyfrifol am waith cyflenwi dŵr drwy Lanymynech drwy'r Pant ac ymlaen.

Yng Ngobowen hefyd fe gyfarfu â merch i deulu oedd yn berchen ar ffatri wlân yn Nolgellau. Fe briododd y ddau a ganwyd iddyn nhw ddau fab a merch. A merch i un o'r brodyr wedyn oedd Mam.

Fe ddechreuodd y cwmni hurio injans stêm gan lusgo wagenni ffeiriau o gwmpas. Fe ddaeth dwy o ferched y ffair, am eu bod nhw'n awyddus i gael ysgol, i fyw at deulu Mam. Fe ddechreuodd y cwmni ehangu ac ymledu i ardaloedd eraill, yn cynnwys Aberystwyth. Cwmni tad-cu Mam fu'n gyfrifol am godi llawer o'r tai mawr sydd yng nghyffiniau Ysbyty Bronglais, Aberystwyth. Ar un adeg roedd ganddo gant o weithwyr.

Adeg y gwaith yn Aberystwyth fe anfonodd ei ferch, sef modryb i Mam lawr yno ac fe ffolodd honno ar y lle. Cafodd fyw yng nghartref Syr George Fossett Roberts yn Ffos-rhyd-galed, neu Westy'r Conrah erbyn heddiw. Roedd y gŵr hwn yn un o fyddigions yr ardal a'i deulu ef oedd yn berchen ar Fragdy Roberts yn Nhrefechan. Bu hi byw nes oedd hi'n gant a phump.

Fe aeth y mab hynaf, John – sef Tad-cu – i Goleg Manceinion i astudio i fod yn bensaer. Roedd hynny'n gydnaws â busnes y tad, wrth gwrs. Roedd cynllunio'n holl bwysig yn y busnes adeiladu. Fe sylweddolodd y tad y byddai hyn yn talu ar ei ganfed yn nes ymlaen.

Tipyn o rebel oedd yr ail fab, Joe. Dyn ceffylau oedd e. Roedd galw mawr am geffylau duon, ac fe fyddai Joe'n dod lawr at gefnder yn Aberystwyth a oedd yn ffermio ym Mryn-bala yng Nghomins Coch rhwng Aberystwyth a Bow Street. Yna fe fyddai'n mynd ymlaen i wahanol ffeiriau fel Ffair Gŵyl y Grog a Ffair Rhos. Ynddynt fe wnâi brynu hanner dwsin o geffylau, eu clymu'n rhes ben wrth gynffon a marchogaeth un o'r rhai canol. Yna fe wnâi newid trefn y ceffylau yn y rhes a newid ceffyl ei hun gan eu torri i mewn bob un yn eu tro. A dyna sut fyddai e'n arwain y ceffylau'r holl ffordd yn ôl i Groesoswallt. Erbyn cyrraedd adre fe fyddai wedi dofi'r chwech.

Un tro fe ddaeth asiant o stad fawr yn Newmarket draw i archebu wagenni cario gwair ac ŷd. Beth welodd yr asiant pan gyrhaeddodd e ond Joe yn dofi ceffyl. Fe wnaeth gymaint o argraff arno fel iddo gyflogi Joe ar gyfer dofi a hyfforddi ceffylau yn Newmarket. Yno roedd ceffyl arbennig o wyllt oedd wedi lladd rhagflaenydd Joe. Roedd Joe'n benderfynol o'i ddofi. Ond fe'i gwelwyd gan ei feistr yn rhoi cweir i'r ceffyl ac fe'i sacwyd e yn y fan a'r lle.

Yr union adeg fe ddaeth John, y plentyn hynaf adre. Dyma'r ddau yn dal trên i Aberystwyth ac yn mynd ati i rentu stad Aberllolwyn ger Llanfarian, fferm o tua thrigain erw. Un dydd yn Aberystwyth dyma John yn sylwi ar werthwr llaeth, a menywod yn dod at y wagen ac yn cario jygiau i gario'u llaeth adre. Roedd ei dad wedi bod yn adeiladu math ar danceri ar gorff trap, a phwmp arbennig arnyn nhw. Fe aeth o gwmpas pobl ddylanwadol yr ardal i'w perswadio nhw i brynu llaeth oddi wrtho ef drwy'r dull llawer mwy glanwedd yma. A dyma fe'n cael ei ffordd ac fe anfonwyd y trap arbennig yma iddo gan ei dad. Fe brofodd y syniad i fod mor boblogaidd fel iddo orfod anfon am ail drap a thrydydd. Roedd cymaint o alw fel bod criw o wragedd yn dod draw i Aberllolwyn bob bore i odro iddo.

Un dydd roedd John ei hun yn gyrru trap ac fe yrrodd dros ben troed plismon a chael gwŷs i ymddangos yn Llys Ynadon Llanilar. Mae'n werth nodi i John yn ystod ei fywyd gael ei wysio 144 o weithiau. Ym mhob achos fe wnaeth amddiffyn ei hunan heb orfod talu'r un swllt arian o ddirwy erioed.

Ar y diwrnod oedd e fod ymddangos yn Llanilar roedd e'n gyrru yno yn y trap pan welodd ddwy ferch ifanc yn cerdded ar hyd y ffordd. Fe arhosodd i siarad â nhw a chael fod un ohonynt yn gweithio i ferch sgweier Plas Tanybwlch, Vaughan Davies. Roedd gan hwnnw hefyd stad fawr yn Rhydychen ac eiddo yn Llunden. Fe werthodd y stad yn Rhydychen ond gwrthododd ei wraig fynd gydag ef i Danybwlch. Roedd bugail y stad yn Lloegr yn Wyddel, aelod o deulu Brodrick. Roedd ef a'i frawd wedi bwriadu hwylio i America ond collodd y ddau'r llong. Ar ôl cael gwaith ar y stad yn Lloegr yn 1843, arbenigodd ar ddefaid South Down ac mae'n debyg iddo ennill 52 gwobr gyntaf yn Sioe Frenhinol Lloegr.

Roedd Brodrick yn enwog am wneud moddion ac eli ar gyfer creaduriaid, o shampŵ ar gyfer cnu defaid i eli gwella clwyfau. Pan fu farw fe geisiodd cwmni enwog Coopers berswadio'i weddw i werthu'r gwahanol rysaits iddyn nhw. Yn anffodus aeth Broderick i'w fedd gyda'r gyfrinach gydag ef.

Ond nôl at y ddwy ferch ar y ffordd. Roedd Emma, merch Brodrick yn brif gogydd yn Nhanybwlch. Ar ôl siarad â nhw am ychydig dyma John yn rhoi lifft i'r ddwy. A thra oedd ef yn y llys fe gynigiodd y trap a'r poni i'r merched fynd am dro a dod nôl i'w godi ym mar tafarn y Falcon pan fyddai'r achos drosodd. Fe glosiodd ef ac Emma a phriodi. Ac fe enwyd fy chwaer ar ei hôl hi. A thrwy Emma Brodrick y daeth gwaed Gwyddelig i wythiennau'r Morganiaid. Fel petaen ni ddim digon gwyllt eisoes!

Er bod gan Tad-cu gymaint o heyrn yn y tân yn ardal Aberystwyth, nôl yng Nghroesoswallt yr ymsefydlodd ef ac Emma wedi iddyn nhw briodi. Yn Welsh Walls oedd pencadlys y cwmni o hyd. Fe anwyd i John ac Emma ddau o blant. Bedyddiwyd y mab yr un enw â'i dad er mai fel Eddie y câi ei adnabod. Roedd e ddeng mlynedd yn hŷn na Mam.

Yn Aberystwyth yn y cyfamser, lle'r oedd cwmni fy hen Dad-cu'n codi tai fe ddigwyddodd damwain fawr. Roedd llawer o'r dynion adeg eu horiau hamdden yn yfed yn nhafarn y Cooper's Arms ar waelod Rhiw Penglais. Un dydd fe aeth un o injans y cwmni oedd yn llusgo llwyth trwm allan o reolaeth ar dop y rhiw ac fe orffennodd ei thaith ym mar y tafarn. Methu'r gêr wnaeth y gyrrwr, brawd Mam mae'n debyg, a'r brêcs yn methu dal y llwyth.

Fy rhieni a Thad-cu a Mam-gu y tu allan i fyngalo Gors-lwyd

Er bod gwreiddiau Mam yng Nghors-lwyd, Trefenter doedd hi a Nhad ddim wedi cwrdd eto ond roedd y cylch nawr bron yn gyfan. Pan fu farw fy hen Dad-cu fe ddaethpwyd ag e'n ôl i fynwent Bethel i'w gladdu. Ac yno mae ei fedd ger y capel. Yn ei ewyllys fe adawodd Gors-lwyd i'w fab hynaf, tad Mam ar yr amod fod y mab yn codi tŷ er cof amdano. Fel arall fe âi'r eiddo ymlaen i'r ferch, honno a fu fyw nes oedd hi'n gant a phump.

Doedd y mab ddim yn gwybod ble oedd Trefenter, ond fe gadwodd at amodau'r ewyllys. Fe ddaeth y teulu, yn cynnwys Mam lawr i Aberystwyth ar wyliau ac fe huriwyd gyrrwr poni a thrap i fynd â nhw i Drefenter. Fe'u gadawyd nhw ar sgwâr y pentref i chwilio am Gors-lwyd. Wrth iddyn nhw chwilio am y lle dyma nhw'n clywed sŵn, rhyw 'swish!'. Dyma nhw'n syllu drwy'r berth ac yno, yn pladura roedd fy Nhad-cu arall. Dyma hwnnw'n dod i ddeall eu bod nhw'n perthyn i'w gilydd. Dyma fe wedyn yn gollwng y bladur a mynd â nhw i Gors-lwyd. Roedd y tir wedi ei rentu allan i deulu Brynamlwg, tuag un erw ar bymtheg.

Fe godwyd y tŷ yn 1926. Fe anfonodd Tad-cu dri charafán anferth ag olwynion cast yn cael eu tynnu gan injans stêm draw i safle'r tŷ newydd. Roedd defnyddiau'r tŷ i gyd ar ddwy o'r wagenni. Roedd hon yn dasg anferth a olygai deithio o Groesoswallt dros Eisteddfa Gurig. Ond cafwyd y drafferth fwyaf lai na milltir o ben y daith pan gyrhaeddwyd Lôn Sais. Roedd hi'n rhy gul mewn mannau a bu'n rhaid defnyddio'r winsh droeon i dynnu'r injans a'r carafanau drwodd. Fe fyddai Tad-cu'n mynnu – os mai Augustus Brackenbury, sef y Sais Bach wnaeth lunio Lôn Sais, mai ef wnaeth ei lledu!

Ar ôl codi'r tŷ newydd fe ddeuai Mam a Mam-gu draw yno'n aml. Ond roedd y tad yn ôl yn rhedeg y busnes yng Nghroesoswallt gan ddod weithiau lawr ar benwythnosau. Fe gychwynnodd Mam-gu fusnes tyfu a gwerthu llysiau yno gan gyflogi pobl ifanc lleol. Yno hefyd fe wnaeth Mam barhau â busnes gwnio a chynllunio a llunio dillad a oedd wedi ei sefydlu ganddi yng Nghroesoswallt. Cyflenwi dillad i'r byddigions fydden nhw gan arbenigo ar ddillad priodas a digwyddiadau ffasiynol eraill. Byddai pecynnau anferth o ddillad yn cael eu postio o Drefenter i Groesoswallt yn ddyddiol. Roedd Mam a Mam-gu mor brysur fel i ni'r plant orfod cael cymorth morwynion.

4.

Hyffordda blentyn

Fe anwyd Nhad, David Charles Morgan, neu Dai yn 1906, yr ieuengaf o ddeg o blant – wyth ohonyn nhw'n ferched – ac fe ddysgodd fwtsiera pan nad oedd e ond yn naw mlwydd oed. Ar lawr y byddai rhywun yn datgymalu'r coesau, neu'n 'lego' bryd hynny. Byddai'r oen yn cael ei osod ar ei gefn â'i draed i fyny mewn math ar stand, tebyg i'r rhai a ddefnyddir i lifio coed. Yno fe gâi ei waedu drwy dorri ei wddf, a'r gwaed yn rhedeg i focs o tano. Wedi i Nhad ladd creadur byddai'r arbenigwyr wedyn, Tad-cu ac unrhyw un fyddai'n ei helpu, yn ei flingo a'i baratoi'n ddarnau ar gyfer y siop. Enw'r cwmni o'r dechrau oedd Charles Morgan a'i Fab. Ac ar drwydded Tad-cu y cafodd y busnes ei redeg gydol yr amser, hyd yn oed wedi iddo farw.

Roedd yna nifer o fwtsieriaid ar y Mynydd Bach. Yn ei gyfrol *Dŷn a'i Wreiddiau* mae'r Doctor Richard Phillips yn cyfeirio at Tad-cu, Charles Morgan, Troedrhiw ac at William Rowlands, Maes-crug a Phen-dre, dau oedd wedi dysgu eu crefft oddi wrth eu teidiau o'u blaen. Prynu ŵyn tew wrth y pen fydden nhw ac mae Richard Phillips yn sôn amdanyn nhw'n prynu ŵyn 'dros eu pennau' heb orfod eu pwyso. Fe wyddent wrth reddf beth fyddai'r pwysau. Weithiau, medde fe, byddent yn lladd buwch, heffer neu eidion tew a hefyd ambell fochyn.

Roedd gan Tad-cu gŵn na fedrai cŵn y treialon rhyngwladol heddiw ddod yn agos atyn nhw. Un dydd, pan oedd Nhad yn naw oed dyma'i dad yn ei anfon i Riw-graidd ar y poni i nôl diadell o ddefaid oedd e wedi eu prynu. Roedd ci Nhad wedi cael damwain, wedi i eidion estyn cic iddo felly dyma fe'n mynd draw gydag un o gŵn ei dad.

Yn dilyn paned, dyma Rowlands Rhiw-graidd a'r gwas yn rhoi help iddo gychwyn ar ei ffordd i lawr am groesffordd Ty'n-llwyn. Roedd ei dad wedi ei rybuddio i fynd o flaen y defaid, ond roedd y ci'n gyrru mor galed fel iddo fethu cael rheolaeth arno ac fe fethodd â gwthio'i ffordd o flaen y ddiadell. Yn hytrach na throi am y ffordd adre fe drodd y ci'r defaid am Benrhiw-fach i gyfeiriad Aberystwyth. Roedd Morgans Ty'n Graig ar ymyl y ffordd gyda'i raw a dyma Nhad yn gweiddi arno:

'Stopiwch nhw! Stopiwch nhw!'

Fe wnaeth hwnnw ei orau drwy geisio atal y ci â'i raw. Ond ymlaen yr aethon nhw gyda'r ci'n eu gyrru'n benderfynol. Doedd dim pwrpas iddo geisio dilyn. Felly nôl â Nhad am adre lle gwyddai y byddai storm yn ei ddisgwyl. Roedd Tad-cu'n neidio mewn tymer a dyma fe'n cyfrwyo'r goben fach, yn gafael am y gyllell a'r stîl a gyrru am Aberystwyth. Yno, y tu allan i'r lladd-dy roedd y ddiadell yn ei ddisgwyl a'r ci'n eu gwarchod. Oedd, roedd y ci wedi eu gyrru yno. Fe wyddai ble i fynd.

Doedd hwn ddim yn brofiad newydd i Tad-cu. Mewn cyfnod cynharach, cyn geni Nhad roedd Tad-cu wedi prynu ymron ddeugain o ŵyn oddi wrth Davies Sarnau wedi i nifer o brynwyr eraill eu gwrthod. Bryd hynny roedd yna gystadleuaeth frwd rhwng y prynwyr a phob un yn ceisio cael y gorau ar ei gilydd. Roedd Charles, sef Tad-cu a Davies wedi cwrdd ar y stryd fawr yn Aberystwyth ac yn cael sgwrs am yr ŵyn. Roedd hon yn adeg pan fyddai cymaint o ffermwyr a phrynwyr yn crwydro'r dref a stopio yma ac acw i sgwrsio fel y gallai gymryd dwy awr iddyn nhw gerdded lawr o Gloc y Dref at waelod y stryd, lle mae Siop y Pethe heddiw.

Beth bynnag, dyma Charles ymhen ychydig ddyddiau yn mynd draw i Sarnau ar ei geffyl gyda dau gi. Fe setlwyd ar bris ac roedd Tad-cu'n gyrru'r ŵyn adre pan ddaeth i bentre'r Gors, neu New Cross. Yno'n ei ddisgwyl ger y dafarn oedd John George, Y Garth ar ei geffyl. John oedd prynwr a gwerthwr mwya'r fro. Roedd John George yn smocwr heb ei fath. Smociai ffags Craven A ac fe fyddai ganddo becyn hanner cant ohonynt mewn bocs, a hwnnw ar strap ledr wrth ymyl ei gadair yn y tŷ bob amser. Fe wyddai John George fod amryw o brynwyr wedi gwrthod prynu'r ŵyn, ef ei hun yn eu plith. A dyma fe'n ceisio temtio Tad-cu i gael peint yn y dafarn er mwyn cael yr hanes. Gwrthod gwnaeth Tad-cu ond doedd John George ddim yn barod i ildio. Ac o'r diwedd fe lwyddodd i berswadio Tad-cu i fynd i mewn gan adael yr ŵyn a'r ddau gi a chlymu'r poni'r tu allan.

Un peint yr un oedd hi i fod tra byddai John George yn cael yr hanes. Fe aeth yr un yn ddau a'r ddau yn dri. A dyma beth oedd bwriad John er mwyn talu'n ôl i Charles am brynu'r ŵyn ac yntau wedi eu gwrthod. Yna dyma ffermwyr eraill yn cyrraedd ac fe aeth yn sesiwn. Anghofiwyd am y ceffyl, y cŵn a'r ŵyn y tu allan. Ar ddiwedd y nos fe godwyd Tad-cu i ben y gaseg a throi ei phen hi am adre. Fe fu'n rhaid clymu John George ar ei geffyl ei hun.

Adre aeth y poni a Charles yn hongian wrth ei gwddf. Roedd Jane, sef Mam-gu'n disgwyl amdano mor bwyllog ag y medrai fod. Anaml fyddai unrhyw beth yn ei chyffroi. Fe lwyddodd i'w gael e lawr o'r poni a'i helpu i'w wely yn y parlwr yn ei ddillad. Y bore wedyn roedd Mam-gu ar lawr fel arfer am hanner awr wedi tri. Fe wnaeth yntau ddeffro. Y cwestiwn cyntaf oedd:

'Ble mae'r ŵyn, Jane?'

'Welais i ddim un oen, Charles.'

'Ble mae'r poni, Jane?'

'Mae'r poni yn y stabal, Charles.'

Wedi bwyd, dyma Charles yn gofyn: 'Weloch chi'r cŵn, Jane?'

'Dim sôn amdanyn nhw. Ble buoch chi, Charles? Gyda'r John George yna, mwy na thebyg.'

Allan â Charles a gosod y cyfrwy ar y poni. Yna dyma fe'n nôl y gyllell a'r stîl a lawr ag ef i Aberystwyth. Yno y tu allan i'r lladd-dy roedd y cŵn a'r deunaw oen ar hugain yn ei ddisgwyl. Dyna'r math o gŵn oedd gan Tad-cu.

Roedd e'n dipyn o foi ym myd ceffylau hefyd. Mae hanes amdano unwaith yn dadlwytho cig yn siop Hughes y Bwtsiwr. Dyma fe'n sylwi ar rhyw ŵr bonheddig yn syllu ar y gaseg. A dyma hwnnw'n gofyn i Tad-cu a wnâi e'i gwerthu hi. Ond fedrai e ddim o'i sbario hi gan nad oedd ganddo fe geffyl arall i wneud y gwaith. Ond wedi i'r gŵr gynnig pum punt a deugain dyma ailfeddwl. Ac ar ôl i'r gŵr ddweud fod ganddo fe ddigon o geffylau addas eraill i gymryd ei lle, dyma daro bargen. Ond doedd y ceffylau oedd gan y dyn yng Nglandyfi ddim wedi eu dofi, ceffylau fyny at dair oed oedden nhw heb erioed fod â choler am eu pen.

Fe wnaeth Tad-cu felly drefnu i gymydog fynd adre â'r trap, a oedd ar ffurf fen gyda tho iddi. Yna dyma fe a'r ffermwr o Landyfi'n mynd ar y trên gyda'r gaseg. Fe gyrhaeddwyd y fferm a phlant y pentre'n helpu i rowndio'r ceffylau ar y rhos. Fe aeth Tad-cu ati wedyn i ddewis ei geffyl allan o tua phymtheg ohonyn nhw. Fe ddewisodd gaseg lwyd ac fe'i daliodd â rhaff yn null y cowboi. Gosododd goler am ei phen a'i chlymu wrth goeden tra roedd e a'r ffermwr yn cael paned. Pan ddaethon nhw allan roedd hi'n laddyr o chwys ac yn crynu fel deilen. Yna fe daflodd e'r cyfrwy ar ei chefn.

Bore trannoeth roedd Tad-cu'n barod i'w marchogaeth hi adre. Yn gwylio'r cyfan roedd plant y pentre, ar eu ffordd i'r ysgol gyda'u mamau. Doedden nhw ddim wedi gweld y fath beth erioed. Roedd hi'n union fel petai'r syrcas wedi dod i'r fro neu fel gwylio ffilm gowboi. Dyma Charles ar ei chefn. Am y degllath gynta roedd hi'n cerdded ar ei dwy goes ôl. Fe aeth fyny drwy'r pentre gyda Tad-cu ar ei chefn fel cath i gythraul. Erbyn cyrraedd Glan-mad ar ôl pymtheg milltir o daith roedd hi'n troi fyny am y Rhiw Hir am Langwyryfon fel hen gaseg gwbwl ddof.

Fe oedodd Tad-cu gyda'r gof yng Nglan-mad fel y gallai hwnnw hoelio pedair clipen ar ei charnau. Ddiwedd yr wythnos roedd hi'n mynd i'r dre yn tynnu llwyth o gig ac yn sefyll yn gwbl lonydd y tu allan i siop Hughes y Bwtsiwr. Yn ôl William Rees, gof Llangwyryfon fe fyddai'r hoelion yn plygu wrth iddo eu taro i mewn i'w charnau wrth iddo'i phedoli. Welodd e ddim carnau mor galed erioed. Heddiw mae carnau ceffylau fel pwdin. Poni Tad-cu oedd cychwyn llinach ceffylau llwydion Phillips Nant-y-benglog.

Fe ddechreuodd Nhad fynychu treialon a chystadlu pan oedd e'n blentyn ond anaml y gwnâi Tad-cu fynd gydag ef. Er bod ganddo gŵn arbennig o dda doedd ganddo ddim llawer o ddiddordeb yn eu rhedeg. Pan wnâi, fe fyddai ffermwyr eraill yn canmol cŵn ei fab. Ond prin iawn fyddai ei ganmoliaeth ef. Ei ateb ef i'r canmol fyddai:

'Chadwn i ddim ohonyn nhw. Mae gen i gŵn i gâl na wnâi'r rhain ddod yn agos atyn nhw.'

Ac roedd e'n iawn.

Roedd y cŵn yn bwysig. Oedd, roedd Tad-cu'n bwtsiera ond busnes bach oedd e, dim ond digon i gynnal y teulu. Yn y cyfnod hwnnw ar y Mynydd Bach fedrai tad ddim fforddio rhoi punt i'w blentyn. Petai ganddo fe bunt byddai gofyn i'r bunt honno gael ei siario rhwng y plant i gyd. Hynny yw, 'rhoi angen un rhwng y naw'. Fe wn i am deuluoedd o blant na welodd erioed gymaint â chwe cheiniog. Petai rhywun yn digwydd cael chwe cheiniog adeg y Nadolig neu i fynd i'r ffair fe fyddai'n golygu ffortiwn.

Pan oedd Nhad yn grwt pedair ar ddeg oed yn 1920 roedd yna nifer o redwyr cŵn defaid peryglus yn yr ardal. Dyna i chi John Rowlands a John Henry Jones. Roedd John Henry'n byw led cae i ffwrdd yn Nhy'n Rhyd. Roedd ei frawd Dai nôl ym Mlaen Camddwr â diddordeb mawr hefyd. Un dydd dyma Nhad yn clywed y defaid a'r ŵyn yn brefi yn Nhy'n Rhyd a dyma fe'n mynd draw. Yno roedd y dynion wrthi'n dewis tair dafad wag a'u hel i'r Cae Bach er mwyn dechrau hyfforddi cŵn.

Dyma Nhad yn gwylio'r meistri wrthi ac yn sylwi nad oedd y cŵn na'r defaid yn dod yn agos at y ddau bolyn oedd wedi eu gosod yng nghanol y cae. Wydde fe ddim beth oedd eu pwrpas nhw a dyma'r dynion yn dweud wrtho mai'r gamp oedd gyrru'r defaid rhyngddyn nhw. A dyma John Henry'n gosod her i Nhad i gyflawni'r gamp. Roedd Nhad wrth ei fodd. Wynebu her oedd y peth mawr yn ei fywyd. Adre ag e i nôl ei ast, Fflei. Roedd e wedi bod yn ei hyfforddi hi ar gae bach un erw yn Nhroedrhiw. Roedd y teulu'n rhy dlawd i brynu llidiardau felly dyma osod tair sincen a dau bric o'r clawdd yng nghanol y cae i greu corlan. Fe addaswyd y tair sincen a'u hagor, ac yna culhau erbyn yr ail dro. Yna cau un pen i greu corlan.

Dyma Nhad yn dod â'r defaid lawr ond yn methu'r ddau bolyn. Fe drodd yr ast o gwmpas er mwyn gyrru'r tair dafad nôl rhyngddyn nhw. Ond yn aflwyddiannus. Yna, dair wythnos yn ddiweddarach dyma Nhad nôl gyda Fflei. Fe fethodd y tro cyntaf eto.

'Own i'n meddwl dy fod ti'n mynd i ddal y ddau bolyn?' medde John Henry.

Fe drodd Nhad y ci o'u blaen. A'r tro hwn dyma yrru'r defaid ar eu hunion rhwng y ddau bolyn. Ac fe drodd John Rowlands at John Henry gan gydnabod:

'Mae gan hwn gi na lla neb ohonon ni ddod yn agos ato fe. Does gan yr un ohonon ni gi all wneud hynna.'

John Rowlands oedd yr un i sylweddoli gyntaf fod ganddo fe gryn seren yn Nhad. A dyma Nhad nawr, ar ôl magu tipyn o hyder yn mynd at ei fam a gofyn am hanner coron ar gyfer talu am gystadlu yn ymryson cŵn defaid Ffair Rhos yn adran y nofis. Y wobr oedd tair gini. Doedd gan Mam-gu ddim byd yn agos at hanner coron. A dyma hi'n ei rybuddio y byddai ei dad yn mynd yn wallgof o glywed y fath siarad.

Fel y deuai dyddiad cwrshin Ffair Rhos yn nes, dal i holi am hanner coron wnâi Nhad. A dyma'i fam yn datgelu wrtho fod arni ddyled o ddeg swllt i Mrs Williams y siop. Petai Tad-cu'n gwybod fe fyddai wedi ei lladd. Ond roedd Nhad ar ben ei dennyn gyda dim ond dyddiau i fynd tan yr ymryson. Unig awgrym Mam-gu oedd i Nhad fynd ati i hel wyau a'u gwerthu nhw i'r siop gan gadw'r arian ar gyfer tâl cystadlu. Ond fe'i rhybuddiodd rhag datgelu hynny wrth ei dad. Yn digwydd bod yn y tŷ ar y pryd roedd hen wreigan fach oedd yn byw ym Mhengraig. A dyma honno'n dod i'r adwy.

'Mae 'na wyau lond y lle ym Mhengraig,' medde hi. 'Dere draw, Dai bach a cher rownd i'r nythe.'

Dimai'r un oedd wyau bryd hynny. Fe fyddai angen cryn chwilio i gael gwerth hanner coron. Ond draw ag e gan gasglu wyau ym mhob man yn cynnwys, mae'n siŵr gen i, nifer o wyau clwc. Yna fe aeth draw i olchi'r wyau'n lân yn y pistyll bach ar groesffordd Troed-y-foel gan eu rhwbio yn y graean ar waelod y pistyll nes oedden nhw'n glaerwyn. Ac yna dyma fynd â nhw i'r siop. Fe ddaeth allan â thri swllt yn ei boced. Roedd e'n teimlo fel miliwnydd.

Ar y dydd Sadwrn dyma Nhad yn cael ei gludo i Ffair Rhos mewn trap â theiers rwber yn cael ei dynnu gan goben Ty'n Rhyd gyda John Henry a John Rowlands a thri chi yn y cefn. I mewn â nhw i'r cae ac at yr ysgrifennydd. Rhyw sarjiant gyda'r heddlu wedi ymddeol oedd yr hwnnw, un o blant Ffair Rhos. Dyma Nhad yn adrodd ei enw wrth y dyn yn llawn balchder, 'David Charles Morgan'. A hwnnw'n

44

Sefyll wrth groesffordd Troed-y-foel
lle bu Nhad yn golchi wyau yn y pistyll bach

cofnodi ei enw ar y llyfr fel D.C. Morgan, Trefenter. A dyma'r hanner coron yn newid dwylo.

Un o'r ddau feirniad oedd Dafydd Jones Pant-ddafad, Gwnnws. Chofia'i ddim o enw'r llall. Fe aeth Nhad y post, a bant â Fflei. A dyma hi'n ôl â'r defaid yn union rhwng y ddau bolyn. Yr unig un i lwyddo i wneud hynny gydol y dydd. A dyma fe'n ennill gwobr y nofis.

Roedd yr ymryson agored yn cychwyn tua dau o'r gloch. Dyna ble oedd Nhad yn cicio'i sodlau wrth weld rhedwr ar ôl rhedwr yn methu. Wrth i'r prynhawn fynd yn ei flaen dyma ŵr bonheddig ar goben felen mewn lifrai marchogaeth yn cyrraedd. Fe ddechreuodd y dyn fynd o gwmpas gan siarad â hwn a'r llall. Ac fe ddaeth i ddeall mai rhyw grwt pedair ar ddeg oed o Drefenter oedd wedi ennill y nofis.

Fe aeth y dyn at Nhad a'i longyfarch a gofyn iddo sut fyddai'n teimlo petai e'n cael cystadlu yn yr ymryson agored. A dyma Nhad yn esbonio mai dim ond chwe cheiniog oedd ganddo fe. Doedd gwobr y nofis ddim i'w chyflwyno tan y diwedd. Fe ddeallodd y dyn pwy oedd Nhad ac fe ddywedodd wrtho fod Tad-cu'n prynu gweddrod oddi wrtho. Fe gyflwynodd ei hun fel Abraham Morgan, Tynewydd, Cwm Ystwyth. Roedd e'n briod â merch o Drefenter, merch Pant-cynghorion. Fe aeth i'w boced a thalu'r arian cystadlu, sef coron ar ei ran.

Bant â'r ast, ac fe fu Nhad bron iawn a'i methu hi. Ond dyma law yn disgyn ar ei ysgwydd a llais yn ei gynghori ar beth ddylai e wneud. Perchennog y llais oedd un o'r beirniaid, Dafydd Jones Pant-ddafad, oedd wedi codi o'i fainc.

Fe ddaeth Nhad adre ag wyth gini ar ben y chwe cheiniog oedd yn ei boced. Fe wacaodd ei boced ar fwrdd y gegin o flaen ei fam. Fu yna erioed gymaint o arian ar aelwyd Troedrhiw o'r blaen.

'Cymerwch, Mam,' medde fe, 'chi biau nhw. Talwch ddyled y siop allan ohonyn nhw. Cadwch y gweddill.'

Dyma'i dad yn cyrraedd. Ond yn lle llawenhau fe ffyrnigodd pan welodd e'r holl arian.

'Jane!' medde fe. 'Peidiwch â chyffwrdd â'r arian yna! Arian drwg ŷ'n nhw! Wna' i ddim cysgu dan yr un to ag arian drwg. Os yw'r arian yna'n cael eu cadw yn y tŷ hwn, fe wna i gysgu yn y stabal gyda'r poni.'

Arian drwg i Tad-cu oedd arian nad oedd wedi ei ennill o ganlyniad i waith. A dyma fe'n dechrau edliw wrth Mam-gu:

'Jane,' medde fe, 'ry'ch chi wedi magu nythaid o blant ond ry'ch chi wedi strywo hwn o'r dydd y'i ganwyd e!'

Ond dyma Mam-gu'n rhoi ei throed lawr am unwaith ac yn ei herio.

'Cysgwch chi ble mynnoch chi, Charles,' medde hi. 'Cysgwch gyda'r poni tra byddwch chi byw, os fynnwch chi. Ond os mai fel hyn wnawn ni ddod ar ben ein traed, ga'i ddweud wrthoch chi nawr na chaiff Fflei fynd mas i ddod â'ch gwartheg chi na'ch defaid chi mewn. Chwiliwch chi gŵn eich hunan, Charles. Dyw hon ddim yn mynd i unman ond i'r treialon.'

Fe aeth Charles allan a ddaeth e ddim yn ôl at ei swper. Ond yn ôl y daeth yn y diwedd ac i'w wely. Ac aros yn y tŷ wnaeth yr arian.

Ysgol Cofadail lle derbyniais fy addysg

48

5.

Ysgol brofiad

Yn ystod y cyfnod pan oedd Nhad a Mam yn caru fe fydde Nhad yn neidio i'w gar ac yn gyrru fyny i Groesoswallt bob penwythnos, bron. Ond wedi iddi nhw briodi fe wnaeth hi a Nhad fynd i fyw i Gorslwyd, y tŷ a godwyd gan ei thad hi er cof am ei dad yntau.

Damwain yn llythrennol wnaeth i Nhad a Mam gyfarfod â'i gilydd. Roedd Nhad a'r Brodyr Rowlands yn prynu a gwerthu ŵyn a hefyd eidionnau, rhyw dri neu bedwar o eidionnau ar y tro. Fe fyddai Nhad a nhw'n helpu ei gilydd yn aml. Un dydd wrth iddyn nhw yrru eidionnau drwy'r dref i'r lladd-dy fe dorrodd y creaduriaid anystywallt i mewn i'r iard yn Llanbadarn Fawr lle'r oedd Mam yng ngofal y dynion. Fe wnaed llanast i dunnell o sment a dyma Mam yn dod allan o'r swyddfa a rhoi pryd o dafod i'r bois. Mynnai gael iawndal am y difrod. Dadleuodd Nhad y dylai clwydi fod ar draws y fynedfa i'r safle. Roedd hi'n rhyfel, bron. Fe edmygodd Nhad ei natur ymfflamychol hi. Ac ar ôl ymddiheuro a gadael yr eidionnau yn y lladd-dy fe aeth e'n ôl i sgwrsio â hi ymhellach. A dyna sut ddaeth ffawd â'r ddau at ei gilydd.

Mam fyddai'n hurio'r dynion ar ran ei thad-cu, a byddai'n byw mewn carafan ar y safle. Weithiau fe fyddai ambell dramp yn galw. Cwestiwn cyntaf Mam fyddai:

'Fedri di drin ceffyl a chert?'

Os fedrai, yna fe gâi waith. Wedyn byddai'r tramp, hwyrach, yn mynd i'r stesion i nôl tunnell o sment neu lwyth o gerrig. Ond roedd hi wedi ei rhybuddio i beidio â thalu ceiniog o gyflog cyn i'r gwaith gael ei gwblhau. Fe ddysgodd hi'r wers honno wedi iddi unwaith dalu tramp o flaen llaw. Doedd dim sôn amdano'n dychwelyd a dyma ganfod y ceffyl a'r gert, yn dal wedi'i llwytho, y tu allan i dafarn y Relwe a'r tramp wedi diflannu.

Fe briodwyd Nhad a Mam yn 1930. Ganwyd iddyn nhw bedwar o blant. Fi yw'r hynaf, Maldwyn yn ail, Emma'n drydydd a Dennis yr ieuengaf. Maldwyn yw'r unig un sydd wedi parhau yn y busnes bwtsiera. Mae ganddo siop yn Aberystwyth nid nepell o Siop y Pethe, lle bu siop Hughes y Bwtsiwr, prif gwsmer Tad-cu gynt. Mae Emma'n byw ar ffarm Dolfor yn y Trawscoed, yr union fan lle saethodd Wil Cefen Coch y ciper. A Dennis yn byw gerllaw ym Mhenbryn. Mae e wedi gorfod rhoi'r gorau i ffermio gan i'w iechyd dorri.

O'r cychwyn cyntaf fe wnes i ddod yn gyfarwydd â gwaith. Hynny'n golygu, nes oeddwn i yn fy arddegau, fy mod yn gweithio am ddim, wrth gwrs. Ro'n i'n bedair ar ddeg oed cyn i fi gael fy hanner coron cyntaf. Cyn cael yr hanner coron hwnnw ro'n i wedi llwytho pedwar dwsin o lwythi o fawn, a dilyn y ceffyl a'r cart adre gyda phob llwyth. Llenwi'r gart ar y rhos, mynd adre â'r llwyth ac yna mynd nôl i'r rhos ac adre bedwar dwsin o weithiau. Hyd yn oed wedyn, nid Nhad roddodd yr hanner coron i fi ond Dai y gwas, oedd yn gefnder i Nhad. A'i roi i fi o ran trueni wnaeth hwnnw.

Newydd adael yr ysgol o'n i. Ac mae hanner coron ynghlwm wrth yr hanesyn hwnnw hefyd. Roedd fy mrawd Maldwyn a finne'n tynnu at ein harddegau canol pan ddaeth hi'n fater o ystyried ein dyfodol o ran addysg. Adeg dechrau'r Ail Ryfel Byd oedd hi ac ysgolion yn dioddef o brinder athrawon. Roedd cymaint o fechgyn ifanc wedi eu galw i'r gad. O'r herwydd, merched fyddai'n dysgu bron yn ddieithriad. Yma yn Ysgol Cofadail fe fu ganddon ni brifathrawes nad oedd ond yn un ar hugain oed.

Ond fe ddaeth un dyn atom, a diolch amdano sef Tom Benjamin Jones. Wedi ei fagu yn Nebo ger Llan-non roedd e'n ewythr i Mari Lluest-hen, cartref Bridfa Nebo. Fe ddaeth aton ni o Lunden. Am ryw reswm, fi oedd ei ffefryn o blith y plant i gyd ac fe dreuliai lawer o'i amser gyda ni ar y tyddyn yn Nhan-y-fron.

Gyda Nhad allan ar y rownd gig, fi fyddai'n godro chwe buwch oedd yn pori'r chwe erw ar hugain, a finne ond yn un ar ddeg oed ar y pryd. Roedden ni'n cadw hefyd rhwng pedwar ugain i bedwar ugain a deg o ddefaid ar y mynydd. Fe fyddai gofyn llocio'r rheiny bob nos. Yma eto fe fyddai angen trin cŵn, ac ar y mynydd heb unrhyw ffin, roedd hi'n dasg anodd iawn. Fe fyddai merch Tom, sef Eiddwen yn fy helpu bob nos. Ro'n ni'n dau'n agos iawn, bron iawn fel brawd a chwaer.

Fe fyddai'r disgyblion eraill i gyd, ar wahân i fi a Maldwyn yn cael gwaith cartref. Roedd hi'n ysgol gref o ran nifer y disgyblion. Fe fedra'i gofio cymaint â thrigain o blant yno yng nghyfnod yr Ifaciwîs. Fe ddaethon nhw aton ni'n uniaith Saesneg. Cyn pen chwe mis roedd y cyfan ohonyn nhw'n siarad Cymraeg.

Doedd gan Maldwyn a finne ddim amser i'r fath beth â gwaith cartref. Roedden ni'n rhy brysur yn godro, gofalu am y defaid a thrin dau geffyl yn y stabal. Fe fydden ni'n dau'n mynd adre o'r ysgol bob amser cinio i'w bwydo nhw – lled cae oedd rhwng Tan-y-fron a'r ysgol. Ond doedd dim amser i waith ysgol y tu allan i oriau dosbarth. Yn wir, roedd rhai o'r cymdogion yn credu ein bod ni'n cael ein gorweithio. Erbyn heddiw rwy'n credu fod gwir yn hynny.

Un noson dyma'r prifathro'n galw. Fel arfer, arwydd fod plentyn wedi camfihafio byddai ymweliad gan y prifathro. Dyna ble oedd Maldwyn a finne, wedi gorffen bwydo'r stoc ac yn barod am swper ac yn gofidio rhyw ychydig. Ond na, dyma fe'n ein cyfarch ni'n siriol ddigon. Roedd hi tua wyth o'r gloch y nos a Nhad wedi cyrraedd adre o'i rownd. I'r tŷ â'r prifathro, ac wrth i Maldwyn a finne fwyta'n swper dyma fe'n rhoi rhyw fath o brawf i ni. A dyma fe'n dweud wrth Nhad fod pob plentyn yn yr ysgol, ar wahân i ni, yn cael gwaith cartref. Ond er gwaethaf hynny teimlai fod Maldwyn a finne ar y blaen ar bawb. Byrdwn ei neges oedd ei fod e am i'r ddau ohonon ni barhau â'n haddysg yn lle gadael pan fydden ni'n bedair ar ddeg. Ond ateb Nhad oedd y câi Maldwyn a fi'r un ysgol a choleg a gafodd yntau – adre ar y tyddyn.

'Erbyn i fi orffen â nhw fe fyddan nhw'n gwybod yr ateb i'r gyfrinach bwysicaf sy'n bod,' medde Nhad, 'sef sut i wneud yn siŵr y bydd crystyn ar y bwrdd.'

'Os hynny,' meddai Tom Jones, 'rhowch un ohonyn nhw i fi.'

Chwerthin wnaeth Nhad a gofyn i ni:

'Pun ohonoch chi'ch dau sy' am aros ymlaen yn yr ysgol?'

Doedd y naill na'r llall ohonon ni ddim am wneud hynny. Yn wir, er gwaetha'r gwaith caled, ro'n i'n ysu am gael gadael yr ysgol. A Maldwyn hefyd. Ond dyma Nhad yn gaddo y byddai un ohonon ni'n aros ymlaen. Yn y cyfamser fe wnaeth y ddau ohonon ni barhau yno am y tro. Ymhen hir a hwyr fe ddaeth diwrnod y Sgolarship, a fi a Maldwyn ymhlith y plant oedd fod i sefyll yr arholiad. Dyma gar Daniel Lewis Bach, Brynawel yn dod i'n codi ni i fynd â ni i Dregaron i'r prawf. Roedd e'n fab i'r pregethwr hwnnw fu'n sôn am y Llais yng Nghapel Bethel, y bregeth wnaeth swyno Nhad gymaint.

Rwy'n cofio'r car nawr ar ben y lôn, car anferth lliw siocled. Roedd Dan yn rhedeg tacsi ar ran y Cyngor. Doedd Maldwyn na finne'n cofio dim am ddyddiad yr arholiad. Hynny oedd y peth olaf ar ein meddwl. Llenwi tri hambwrdd â chig ar gyfer fan Nhad oedden ni ar y pryd, dau hambwrdd ar gyfer cig o bob math a'r trydydd ar gyfer y dafol a'r bloc. Fe ddaeth Mam i'r drws a gweiddi bod y car yn disgwyl amdanon ni a'r gyrrwr yn canu ei gorn. A dyma Nhad yn gofyn i ni p'un ohonon ni oedd am fynd.

'Dim fi,' meddwn i'n bendant.

'Na finne,' medde Maldwyn, yr un mor bendant.

Ond roedd Nhad wedi rhoi ei air y bydde un ohonon ni'n mynd. Dyma fe'n tynnu pisyn hanner coron o'i boced a'i osod ar ewin ei fawd.

'Nawr 'te, héds neu têls?' gofynnodd.

'Héds!' medde fi.

Fyny â'r hanner coron i'r awyr. Ro'n i'n dal fy anadl ac yn gwylio'r darn arian yn codi, yn troelli a disgyn fel petai amser wedi rhewi. Dyma hi'n disgyn ar y bloc gyda chlec. Héds oedd fyny! I ffwrdd, felly, â Maldwyn yn y car a finne'n gorffen llwytho'r fan gyda Nhad. Dihangfa gyfyng fu honno. Fe achubwyd fy nghroen ar droad hanner coron. Ond nôl i boced Nhad aeth e wedyn. Cofiwch, roedd meddwl am beidio â gorfod mynd yn ôl i'r ysgol yn werth llawer mwy na hanner coron.

Roedd Nhad wedi prynu tyddyn Tan-y-fron oddi wrth William Lewis am dri chan punt. Roedd hyn yn 1937 a dyna pryd wnaethon ni symud allan o Gors-lwyd. Yno y ganwyd ni i gyd, ar wahân i

Maldwyn yn gyrru'r tractor gyda fi a Twm y gwas

Dennis. Fe anwyd fi yn 1931, Maldwyn bymtheg mis yn ddiweddarach, Emma fy chwaer yn 1937 a Dennis yn 1940.

Welais i ddim llawer iawn o newid ar ôl gadael yr ysgol. Ro'n i wedi bod yn gweithio o'r crud, bron iawn. I fi, ymyrraeth ddiangen ar ddiwrnod gwaith oedd mynd i'r ysgol. Roedd yna bethe llawer pwysicach i'w gwneud. Rhedeg cŵn defaid, er enghraifft. Ro'n i'n cystadlu ac yn ennill o gwmpas y pump oed a hyd yn oed yn cynnal arddangosiadau gyda Nhad. Nid yn unig roedd e'n gystadleuydd peryglus, roedd e hefyd yn gwybod sut oedd diddanu cynulleidfa.

Mae yna sôn heddiw am redwyr yn defnyddio pump, chwech neu hyd yn oed saith ci fel tîm. Ond dwli yw hynna. Welwch chi byth fwy nag un ci o'r pump, chwech neu saith yn gweithio ar y tro. Un sy'n gweithio tra bod y lleill yn gwylio. Ond fe welais i Nhad yn defnyddio pump gyda'i gilydd, a chwech mewn treialon lleol. Dyna i chi beth oedd camp. Fe fyddai'n cynnal arddangosiadau o'r fath ar ganol diwrnod o ymryson, a hynny am ddim.

Scotch Borders oedd gydag e bob amser. Y cŵn cyntaf i'w defnyddio oedd yr hen gŵn Cymreig, cŵn defnyddiol iawn. Rhai'n well na'i gilydd, wrth gwrs. Wedyn dyma Bonner Ochr-rhos, oedd â'i wreiddiau fyny yn yr Alban yn cael ci Scotch Border llwyddiannus iawn. Roedd y rhain yn gŵn arbennig am steil. Bryd hynny roedd steil yn bwysig iawn. Erbyn heddiw mae rhoi marciau am steil wedi diflannu. Ci Bonner roddodd gychwyn ar y Scotch Border yn Sir Aberteifi er eu bod nhw i'w cael fyny yn y gogledd cyn hynny.

Mantais arall i'r rhedwyr yng Nghymru oedd bod y cŵn hyn heb fod â llygaid cryfion, neu '*strong eye*' yn Saesneg. Doedden nhw ddim am gael cŵn gyda '*too much eye*'. Tuedd y math hwn o gi oedd gorwedd a gwylio o bell o dop y cae yn hytrach na mynd i nôl y defaid. Y rhedwr wedyn oedd yn gorfod eu nôl nhw. Mae yna gŵn hyd yn oed heddiw sy'n cael eu beirniadu am fod â gormod o lygad. Mae gen i gi da yma nawr ond ci ar gyfer ffarm yw e oherwydd ei lygad.

Fedra'i ddim cofio cyfnod pan nad oedd yna gŵn o gwmpas. Fel pawb arall yn y gymdogaeth, roedden ni'n dlawd. Fel plant fydden ni ddim yn cael teganau. Cŵn bach fyddai ein teganau ni. Fues i ddim erioed heb gi.

Mae gen i gof clir am fy nghi cyntaf. Ei enw oedd Don, a chi Nhad oedd e mewn gwirionedd. Rhodd oedd Don gan Jimmy Reed, Ysgrifennydd Cymdeithas Ryngwladol y Treialon Cŵn Defaid. Cyfreithiwr oedd e ac roedd e a Nhad tua'r un oedran ac wedi dod yn gyfeillion agos wedi iddyn nhw gystadlu mewn sioeau mawr rhyngwladol.

Fe fyddai Jimmy a'i wraig yn dod lawr i aros gyda ni weithiau. Roedd y byngalo lle'r oedden ni'n byw yn dŷ mawr, modern. Roedd yno ddŵr oer a phoeth ynddo cyn bod sôn am hynny mewn tai eraill yn y fro. Roedd yno bum stafell wely a lolfa fawr ar gyfer derbyn pobol. Roedd iddo do fflat a Nhad wedi gosod erial radio ar ei ben. Adeg Coroni Siôr VI ym mis Mai 1937 roedd yna lond tŷ o bobol yn gwrando.

Tua 1936 wnaeth Jimmy anfon Don at Nhad. Fe ddechreuodd Nhad ei hyfforddi, ond roedd e'n gi o frîd gwahanol i'r rhai oedd e'n gyfarwydd â nhw. Roedd Nhad hefyd yn defnyddio dulliau rhy galed, a'r ci braidd yn feddal. Un felly oedd Nhad wrth hyfforddi ci. Roedd e'n defnyddio dulliau caled, yn gwbl wahanol i fi. Mae Eirian fy mab yn union yr un fath â'i Dad-cu yn hynny o beth. Fe wnâi cŵn Nhad gerdded fyny atoch chi a noethi eu dannedd. Dyna'r cŵn oedd e'n eu hoffi, cŵn ffyrnig, herfeiddiol. Wnâi e ddim byd â chŵn meddal eu natur. Ond roedd e'n llwyddiannus. Y gwahaniaeth rhwng Nhad a fi oedd mai wado ci lawr fyddai e. Codi ci fyny fyddwn i.

Un dydd roedd Nhad yn mynd â Don drwy'i bethe pan redodd y ci bant. Roedd e wedi dianc ddwywaith neu dair cyn hynny. I Nhad roedd hynny'n wendid mawr mewn ci. A dyma fe'n galw arna'i i ddod â'r ci nôl a rhoi tipyn o faldod iddo fe.

Roedd Nhad wedi dysgu ei gŵn i ymateb i'r gair 'cut'. Pan waedde fe hynny fe fydden nhw'n dod mewn. Yn ddi-feth, o glywed y gair fe fydde'r cŵn yn mynd mewn am fol y ddafad. Roedd e'n feistr caled ond nid gêm oedd hi wedi'r cwbwl, nid hobi. Roedd hi'n fywoliaeth. Roedd e mor llwyddiannus yn eu hyfforddi fel y gallai ddewis unrhyw un o'i gŵn – allan o bump neu chwech ohonyn nhw – ac fe wnâi'r ci yna ennill. Yn wir, fe fyddai Nhad yn herio rhedwyr eraill i ddewis ci ar hap o blith y pump neu chwech ac fe wnâi hwnnw ennill bob tro. Roedd pob ci gystal â'i gilydd. Fe fyddai cŵn blwydd Nhad yn curo cŵn dwyflwydd oed rhedwyr eraill.

Ro'n i wedi codi dulliau Nhad o roi gorchmynion, 'saf allan' ar y chwith a 'cer nôl' ar y dde. Ond wnes i erioed ddefnyddio'r un termau â Nhad ar unrhyw gi o'm heiddo i. Ddim ond ar gŵn Nhad ei hun y gwnawn i hynny. Ac yn wir, fe dyfodd rhyw ddealltwriaeth rhwng Don y ci a finne. Byddai Nhad yn fy annog i fynd â'r ci allan bob dydd. Fe fyddai'r hen gi'n chware pêl gyda fi. Ro'n i wrth fy modd. A dyma Nhad yn fy nysgu innau. Yr unig wahaniaeth oedd mai fi, os wnawn i rywbeth o'i le, fyddai'n dioddef wedyn yn hytrach na'r ci!

Nid rhoi crasfa drwy glatsio wnâi e. Os wnawn i rywbeth o'i le fe fydde fe'n dod fyny'r tu ôl i fi, a finne wrth ganolbwyntio ar y ci heb ei weld. Yna fe fyddai ei droed yn disgyn ar waelod fy nghefn i'n siarp. Doedd dim iws crio, dim iws rhedeg at Mam. Fe wyddwn i, petawn i'n dangos unrhyw wendid y byddai clatsien yn dilyn. Fel hynny wnes i ddysgu'n bump oed i wrando ac ufuddhau. Roedd e'n feistr caled ond yn un llwyddiannus. Yn gynharach, pan nad oedd e ond yn un ar bymtheg oed, fe wnaeth un ast dalu am gar iddo fe. Doedd dim angen trwydded yrru bryd hynny.

Roedd Nhad yn gwbwl ddideimlad cyn belled ag oedd cŵn yn y cwestiwn. Ac i grwt roedd hynny'n rhywbeth anodd i'w ddeall. Dyna ble byddwn i'n hyfforddi ci ond yn dod adre o'r ysgol a'r ci wedi'i werthu. Un dydd fe gyrhaeddais adre a gweld D.J. Jarman a'i briod yn cael paned gyda Nhad yn Nhan-y-fron. Roedd gen i gi arbennig o addawol a dyma ddeall fod Nhad newydd ei werthu i Jarman. Fe dorrais i nghalon. Fe wnes i redeg i'r tŷ gwair ac yno fues i'n crio am oriau. Y ci hwnnw werthodd Nhad wnaeth roi Jarman ar y map. Fel arfer, dim ond y goreuon wnâi Nhad eu cadw. Os oedd ci'n dangos unrhyw wendid, bant gâi e fynd.

Roedd gen i ast o'r enw Meg ond doedd hi ddim yn gyson. Weithiau fe fydde hi'n pwdi. Fe wyddai Nhad yn syth sut hwyl fyddai arni wrth ei gollwng hi allan yn y bore. Un tro roedd e yn y Treialon Cenedlaethol, a Meg gydag e a honno ddim yn perfformio fel y dylai hi. Doedd dim hwyl arni. Prin wnâi hi godi ei phen. Dyma ffermwr yn dod ato a chynnig pris am Meg. Ac yno heb feddwl ddwywaith dyma fe a'r ffermwr yn taro bargen a Meg yn newid dwylo am bymtheg punt ar hugain.

Dyna i chi John Evans, Penrhyndeudraeth wedyn, gŵr ag un fraich. Roedd ganddo fe gi brith o'r enw Jock. Un bai oedd ar y ci, doedd e ddim wedi cael ei dorri lawr i gerdded. Roedd rhyw naid yn ei osgo hefyd. Ond fe welodd Nhad botensial ynddo fe a dyma drafod. Fe setlwyd ar drigain punt. Fe aeth Nhad ynghyd â'r ci nes iddo fe gael y creadur â'i ben yn dilyn y borfa. Wnai e ddim codi ei ben o'r llawr. A gyda fi y bu'r ci ymhen amser byr.

Mae amryw'n gofyn beth oedd uchafbwynt gyrfa Nhad a beth oedd ei gyfrinach. Fedra'i ddim nodi uchafbwynt pendant. Rhedeg cŵn yn Hyde Park hwyrach, anrhydedd nad oedd ond y pigion yn ei chael. Roedd yn rhaid cael gwahoddiad i redeg yno. Ond ei gamp oedd ennill ym mhobman. Ei gysondeb e oedd y peth mawr. A'i gyfrinach oedd nad un ci da fyddai ganddo. Fe fyddai ganddo ddau neu dri o gŵn da bob amser.

Cyn belled ag y mae fy llwyddiant i yn y cwestiwn, fe alla'i ddweud i fi ennill mewn tri ymryson oedd yn dathlu canmlwyddiant. Nid pawb all ddweud hynny. Mae ambell ddiwrnod felly'n sefyll mas. Roedd cael fy newis fel aelod o dîm Cymru wedyn yn anrhydedd, a

Eirian a fi gyda Meg, Wag a Ianto yn aelodau mewn ymryson rhyngwladol yng Nghaer Efrog

hynny saith neu wyth o droeon. Yn wir, ar un achlysur ro'n i ac Eirian y mab yn nhîm Cymru'r un pryd.

Beth bynnag, Don oedd y dechrau i fi. Fe wnes i lwyddo i ddod i handlo'r ci drwy'r dull Cenedlaethol. Ac mae yna un digwyddiad arbennig yn sefyll yn fy meddwl i. Fedra'i ddim cofio beth oedd achos yr achlysur. Ond tua 1936 oedd hyn ac yng Nghae'r Ficerdy yn Aberystwyth y cynhaliwyd y digwyddiad. Rwy'n cofio gweld car mawr Austin 6 a thrêlyr y tu ôl iddo a chlwydi ar y trêlyr. Ynddo roedd deg neu ddwsin o ddefaid. Dyma ddod i waelod y Ropos, neu Rope Walk Hill rhwng Penparcau a Threfechan, lle dadlwythwyd y defaid.

Yno roedd torf wedi crynhoi ac roedd yna hwrdd oedd wedi ennill yn y Sioe Fawr, clobyn o greadur gyda chyrn fel Wiltshire Horn arno. Ond un Cymreig oedd e gan fod ganddo fe gynffon hir. Ar ei gefn roedd cyfrwy a merch ifanc yn ei harddegau cynnar yn ei arwain mewn gwisg draddodiadol Gymreig. Rwy'n meddwl mai hi oedd merch Maer y dre ar y pryd. Y peth nesaf oedd i fi gael fy nghodi i ben yr hwrdd a dyma'r ferch yn ein harwain ymlaen tuag at y dre a'r defaid o'n blaen. Roedd y strydoedd yn orlawn a phlismyn ym mhobman yn cadw trefn wrth i ni basio tafarn y Ffownten ymlaen dros Bont Trefechan. Fyny â ni drwy Stryd y Bont a throi ger Cloc y Dre am y Stryd Fawr. Lawr â ni wedyn at ble mae Siop y Pethe – siop Hughes y Bwtsiwr bryd hynny – a throi am y stesion tuag at Blascrug.

Ar Gae'r Ficerdy roedd torf anferth a dyma weld rhyw bethe mawr fel bocsys hir ar dair coes. Camerâu ffilmio oedden nhw. Yno roedd cwrs wedi ei baratoi ar gyfer rhedeg cŵn, y dreifs a'r lloc. A dyma arddangosiad gyda fi'n cychwyn gyda Don. Wedyn fe wnaeth Nhad yn dilyn gyda phedwar ci arall, Lad, Meg, Roy a Ffan.

Fe ffilmiwyd y cyfan ac fe gafodd rhai plant ysgol, yn cynnwys plant Ysgol Bronnant fynd i weld y ffilm yn un o sinemâu Aberystwyth. Fe aeth y ffilm wedyn i Lunden ac yna i Gaerdydd. Ac yno fe welodd chwaer Nhad, sef Magi a'i dwy ferch y ffilm. Roedden nhw'n byw yn Nhreherbert lle'r oedd Ifan, y tad yn flaenor. A phan ddangosodd y ffilm Nhad yn arwain y cŵn at y cwrs ar y sgrin dyma Magi'n beichio crio. A dyma lais Nhad yn gweiddi:

'Aros, Lad.'

A Magi'n gweiddi nôl:

'Ie, aros, Lad bach neu mi laddith y diawl di!'

Fe aeth y ffilm draw i America ac ychydig yn ddiweddarach fe gyrhaeddodd llythyr yn cynnig mil o bunnau i fi a Don i fynd allan i Hollywood. Tybed a oes yna gopi ar gael o'r ffilm yn rhywle? Beth bynnag, dyna'r agosa wnes i ddod at fod yn seren y sgrîn fawr.

Mae gen i gofnod o hyd wedi'i fframio o hysbyseb ar gyfer Sioe'r Tair Sir yng Nghaerfyrddin ar Awst 14eg 1937. Mae'r hysbyseb yn cyhoeddi arddangosiad gan D.C. Morgan a'i fab chwech oed. Yn wir, ddim ond tridiau dros fy chwech oed oeddwn i. Pan enillais i'r tro cyntaf ro'n i fis yn brin o'm chwech oed, a hynny yn nhreialon cŵn defaid Dolgellau yn y dosbarth i rai dan un ar hugain oed.

Roedd tua saith ohonon ni'n cystadlu, a bechgyn mawr dros eu

UNITED COUNTIES 33rd SHOW AT
THE PARK CARMARTHEN SAT 14th Aug 1937

SPECIAL ENGAGEMENT FOR THE SHOW

A

SHEEP DOG DISPLAY

will be given on the Showground

by the well-known

Mr. D. C. MORGAN
Trefenter, Aberystwyth

with his own Highly Trained Sheep Dogs,

which display will include the handling of
the Dogs by Mr. Morgan's Son, aged 6 years.

THREE PERFORMANCES

at 3.30, 4.15 & 5.15 approximately

Poster yn hysbysebu ymddangosiad Nhad a finne yn Sioe'r Tair Sir, Caerfyrddin deunaw oed yn ein plith. Roedd y bechgyn mawr hynny'n chwerthin o weld rhyw damaid o grwt yn cystadlu â nhw. Ond fi wnaeth ennill y wobr gyntaf o £1 7s 6d. Doedd neb yn rhoi unrhyw obaith i fi, yn arbennig Nhad. Ond am weddill ei oes fe fynnai mai hwn oedd y rhediad gorau i fi ei wneud erioed.

Lawr â fi ar gyfer dechrau'r rhediad a Don yn aros i biso. Nerfau oedd yn gyfrifol, a Nhad oedd wedi bod yn gyfrifol am hynny. Roedd ei ddull o drin y ci wedi chwalu nerfau'r creadur. Fe gollais dri phwynt felly cyn cychwyn, bron iawn. Ond unwaith wnes i ei gael e lawr i'r gwaelod roedd rheolaeth berffaith arno fe. Fyny ag e yn ei ddull tawel. Ymlaen â ni gan igam-ogamu a thrwy'r gatiau. A dyma gorlannu'n berffaith.

Roedd yr hen do'n gwylio, cewri fel John Jones Trawsfynydd, Ted y Bala a John Jones Tan-y-gaer, Corwen tad pencampwr arall, Meirion Jones, Pwll-glas. Yn wir, fe blesiwyd John Jones Corwen gymaint fel iddo fynd i'w boced a rhoi cildwrn o hanner coron i fi, swm anhygoel bryd hynny. Rwy'n dal i'w gofio'n gwenu rhwng rhesi o ddannedd aur.

Rwy'n cofio'n glir hefyd arddangos campau'r cŵn gyda Nhad yn y Sioe Fawr yn Blackpool ar Awst 5ed 1937 a Nhad yn cael pum punt ar hugain am wneud hynny. Dyna i chi ffortiwn. Bryd hynny byddai gwas neu forwyn yn gweithio am saith bunt y flwyddyn. Fe ges i hyfforddiant di-enaid a didostur cyn mynd i Blackpool. Roedd Nhad yn dweud y drefn cyn i ni hyd yn oed gychwyn o'r tŷ. Fe ddywedodd wrth Mam y byddai'n haws ganddo hyfforddi deg o gŵn nag un plentyn anystywallt fel fi. Fe alla'i ddeall hynny. Y cŵn oedd yn dod â bywoliaeth iddo fe ac yn ein cynnal ni fel teulu.

Roedd arddangosiadau'n talu lawer gwell nag oedd cystadlu. Wrth arddangos fe fyddech chi'n saff o gael eich talu. Doedd dim sicrwydd wrth gystadlu. Yn aml fe aech chi adre'n waglaw ac ar golled o orfod talu am gystadlu ac ennill dim byd ar ddiwedd y dydd.

Yn anochel fe ddaeth y diwrnod pan wnes i gystadlu am y tro cyntaf yn erbyn Nhad. Cyfarfod croeso ar brynhawn dydd Sadwrn ym Mhenuwch oedd yr achlysur a finne'n un ar bymtheg oed. Yng nghyfnod y Rhyfel, ac am ychydig wedi hynny fe fydde pob pentre bron yn cynnal partïon croeso adre i'r milwyr. Ac fel rhan o'r

Dau o'r cŵn, Jock a Fflei. Bu farw Fflei dan driniaeth filfeddygol

dathliadau hyn, mewn rhai ardaloedd, fe fydde ymrysonfeydd cŵn defaid. Achlysuron lleol oedd y rhain ond fe fydde yna redwyr da fel Bill Baigent a Ned a Jac Aberdauddwr a Rowlands Pont Llanio. Dai Lloyd Pantmeddyg a Tom Jones Blaenresgair wedyn a Ianto Henbant a Dan Bronfynwent.

Y beirniad ym Mhenuwch oedd Tom Jones, un a gâi ei ystyried yn ddyn strêt. Rwy'n meddwl mai 1946 oedd hi a'r cyfarfod wedi'i drefnu i godi arian i filwyr oedd wedi dod adre. Roedd gan Nhad ast oedd yn ferch i Roy a gast Wil Baigent, sef Fflei. Roedd hi'n ast drilliw. Roedd hi'n ast addawol iawn nes iddi gael cancr a marw ar y bwrdd llawdriniaeth yn Lerpwl.

Yno ym Mhenuwch dyma fi'n ddigon hyf i ofyn i Nhad a allwn i roi cynnig ar redeg.

'Gad i fi weld be alla i ei neud gynta,' medde fe.

Roedd e wedi enwebu tri chi, ac allan ag e gyda Roy i ddechrau. Fe gafodd rediad da. A dyma fe'n troi ata i a dweud:

'Iawn, gwd boi. Os wyt ti'n meddwl y medri di wneud yn well na hynna, bant â ti. Rho gynnig arni!'

Gyda Jock allan yn y cae tatw

Draw â fi at y fan a gollwng Jock allan. Fe ges i rediad da hefyd a nifer o'r arbenigwyr yn credu mod i wedi ei faeddu e. Mae gen i deimlad fod Nhad yn meddwl hynny hefyd yn dawel bach. Roedd e wedi gwynnu y tu ôl i'w glustiau. Dyma'r marciau'n cael eu cyhoeddi. Hanner marc oedd ynddi. Nhad wnaeth ennill.

Ond fe ddaeth diwrnod pan wnes i ei guro fe, a hynny mewn ymryson ym Mrechfa a'r hen Gapten Grant yn beirniadu. Roedd curo Nhad yn fater o falchder ond hefyd o barchedig ofn. Ond o lwyddo i wneud hynny fe deimlwn fy mod i bellach wedi cyrraedd.

6.

Bwrw gwreiddiau

Pan brynodd Nhad Dan-y-fron, fe aeth ati i godi tŷ newydd ar y tir. Fe ddymchwelwyd yr hen adeiladau ac fe gafwyd saer maen o Lannon, Tom Edwards i wneud y gwaith adeiladu. Roedd e'n adeiladydd o fri wedi treulio deugain mlynedd yn gweithio yn Llundain. Ef wnaeth godi Brynawelon, Llannon yn 1933 i David Alban Davies, y dyn busnes llwyddiannus. Fe fyddai'n lletya gyda ni drwy'r wythnos a mynd nôl adre bob penwythnos.

Cyn hynny, talu rhent i'w dad yng nghyfraith fyddai Nhad am gael byw yng Nghorslwyd. Rwy'n cofio loris yn dod lawr o Buttington – y loris cyntaf dwi'n cofio'u gweld – â llwythi o frics. Fe gaen nhw'u disgrifio fel '*Best Glazed Buttington Bricks*'. Chafwyd yr un diferyn o law tra bod y tŷ'n cael ei godi a'r to wedi ei osod. Yno fuon ni fel teulu tan 1947, pan wnaethon ni symud i'r Esgair. Pan werthon ni Dan-y-fron, y peth cynta wnaeth y perchnogion newydd oedd paentio dros y brics drudfawr.

Ond dyma adeg pan gafodd Nhad gyfnod hesb. Roedd y cŵn yn mynd yn hen gyda'i gilydd. Ar ben hynny fe wnaeth y Rhyfel darfu ar gystadlu i fi a Nhad yn yr ymrysonfeydd mawr. Un rheswm am hyn oedd prinder petrol. Roedd tanwydd wedi'i ddogni a rhaid fyddai cael cwpons cyn fedrech chi roi dim byd yn y tanc. Roedd yna betrol coch ond dim petrol gwyn. Fe barhaodd hynny am rai blynyddoedd wedi'r Rhyfel. Fe fyddai terfynau hyd yn oed i'r petrol coch. Fedren ni ddim mynd yn bellach na thua phymtheg milltir o Drefenter. Yn wir, rwy'n cofio mynd i adrodd mewn eisteddfod yng Nghapel Seion, a rhag ofn y byddai'r heddlu'n fy stopio, dyma Nhad yn gofalu bod tun o gorn bîff yn y car gan esgus fy mod i'n mynd â hwnnw i un o'n cwsmeriaid.

Am chwe blynedd dros gyfnod y Rhyfel fe wnaethon ni roi'r gorau iddi o ran cystadlu â'r cŵn. Teulu tlawd oedden ni, fel aml i deulu arall yn y fro. Roedden ni'n gyfanwerthwyr cig, ond busnes bach oedd e ar y dechrau, digon o elw i roi bara ar y bwrdd. Llwyddiant Nhad wrth gystadlu oedd yn gyfrifol am i ni fedru rhoi menyn ar y bara.

Ond fe hitiodd e'r cyfnod yma pan na fedre fe ennill unrhyw beth. Doedd dim byd yn mynd yn iawn. Un dydd roedd e wedi bod yn cystadlu'n aflwyddiannus yn Rhuthun. Fe gofiodd wrth gyrraedd y Brithdir ar ei ffordd adre fod yna ymryson yn Nhabor gerllaw. Y tu allan i'r cae ymryson roedd criw o blant wrthi'n cicio pêl. Fe wnaeth un o'r plant ei adnabod a dweud wrtho fod ei enw wedi ei alw gan y cyhoeddwr ar gyfer cystadlu. Ond doedd ganddo'r un ddimai goch yn ei boced i dalu am gystadlu. Ond fe wyddai y byddai hen gyfaill iddo, John Pritchard Llithfaen – ewythr Alan Jones gyda llaw – yn y treialon. Fe anfonodd un o'r plant i nôl John ac fe ddatgelodd wrtho ei sefyllfa. Fe dalodd hwnnw'r arian cystadlu ar ei ran. Fe enillodd cŵn Nhad y wobr gyntaf, yr ail, y drydedd a'r bedwaredd. Fe dalodd ei ddyled i John ac fe ddaeth adre.

Fe dyngodd Nhad yn y man a'r lle na wnâi e fyth gystadlu eto. Ond roedd e ar ei gythlwng. Tua 1938 oedd hi, y cŵn i bob pwrpas wedi dod i ben a'r dyfodol yn gwbwl dywyll. Gwyddai mai eithriad fu ennill yn Nhabor. Dyna pryd, fe greda i, pan orffennodd rhedeg cŵn fod yn fusnes a throi'n hobi.

Beth bynnag, pan gyrhaeddodd Nhad gartre roedd neges yn ei aros. Roedd tarw wedi ymosod ar gefnder iddo ym Mhantlleinau ac roedd angen lladd y creadur. Gan fod y tarw wedi gwylltio gymaint, penderfynodd ohirio'r lladd tan y bore wedyn. Trannoeth, aeth ati i geisio penderfynu beth i'w wneud â'r cig. Gwerthodd chwarter o'r eidion i John George y Garth. Fe blesiwyd hwnnw gymaint gan ansawdd y cig fel iddo ofyn am fwy. Hyn oedd cychwyn y busnes manwerthu go iawn.

Cyn hir roedden ni'n gwerthu cig naw oen ynghyd â chwarter o gig eidion ar ddydd Sadwrn yn unig. Heddiw fe gymer dair wythnos i'r siop fwyaf llewyrchus yn Aberystwyth i werthu naw oen. Roedd y rownd bryd hynny'n ymestyn o'r Allt-lwyd rhwng Llannon a Llanrhystud fyny i New Row uwchlaw Pontrhydygroes. Fe fyddem yn adnabod pob teulu yn y dalgylch. Heddiw dydw'i ddim yn adnabod hanner trigolion Trefenter, heb sôn am y broydd o gwmpas. Yn 1942 roedd hi'n gyfnod y llyfrau dogni, wrth gwrs. Bryd hynny roedd gan Nhad ar ei lyfrau 1,750 o gwsmeriaid i'w gweini dros bob penwythnos, o fore dydd Iau tan nos Sadwrn.

Bu'r busnes mor llwyddiannus fel i Nhad lwyddo i roi £300 yn y banc a phrynu car newydd bob blwyddyn, car a fyddai'n costio tua £150. O dipyn i beth fe brynodd fan, ac yna lori. Yn 1939 fe fedrodd fforddio prynu fan newydd. Ef oedd y cyntaf i fod yn fanwerthwr cyflawn yn y fro. Roedd gan Tad-cu rownd fach, mae'n wir. Ond ddim ond ar ddydd Sadwrn, pan fydde fe'n mynd o gwmpas Llanfarian, Llangwyryfon a Threfenter.

Ehangodd y busnes, ac adeg y Rhyfel fe gafodd Nhad swydd wirfoddol fel swyddog dyrannu cig. Golygai hynny y gallai ddewis y cig gorau. Ac os byddai oen neu ddau dros ben, fe gâi'r cyfle cyntaf i'w prynu. Ac adeg y llyfrau dogni, byddai Nhad yn gofalu y byddai yna dun neu ddau o gorn bîff o dan y sedd i'w gwsmeriaid.

Fe ddechreuais i yrru'n un ar bymtheg oed, er i fi fod yn gwneud hynny ar y slei yn ddeuddeg oed. Roedd modd cael trwydded gyrru tractor yn un ar bymtheg oed bryd hynny. Ond yr hyn wnaeth Nhad, er na wyddwn i unrhyw beth am hynny, oedd ffugio'r ffurflen gais a mynnu fy mod i'n ddwy ar bymtheg oed.

Yn ogystal â'i waith bob dydd roedd Nhad yn Gynghorwr Sir. Yn wir, fe gafodd ei ethol yn Gynghorydd ag yntau ond yn bedair ar bymtheg oed. Fe gâi ei ystyried bob amser fel ymladdwr dros y tlawd. Roedd e'n aelod o bwyllgor a gâi ei adnabod fel y Guardian Committee. Pwyllgor oedd hwn i amddiffyn buddiannau'r tlawd a'r anghenus. Un o bobol cyfoethoca'r ardal oedd Alban Davies, Brynawelon a oedd yn filiwnydd. Fe gafodd e a Nhad aml i ffrae.

Fe fu yna anawsterau o bryd i'w gilydd, wrth gwrs, er gwaetha'r ffaith i Nhad ddod ar ei draed. Dyna'i chi eira mawr 1947. Ond mae'n rhyfedd fel mae rhagluniaeth yn trefnu pethe. Mae yna emyn sy'n dweud fod rhagluniaeth fawr y nef yn 'tynnu yma'i lawr, yn codi draw'. A dyna fu'n hanes ni. Pan o'n i'n blentyn fe ges i fynd gyda Nhad i Benywern at John George. Roedd ganddo fe oen swci benyw ac fe'i rhoddodd i fi. Roedd hi wedi ei geni yn Nanty, fry ar y mynydd ger Rhaeadr Gwy. Fe'i bedyddiais i hi'n Gwen. Fe wnaeth Gwen eni oen neu ddau bob blwyddyn ond roedd ganddi ryw arferiad o fynd oddi cartre i roi genedigaeth. Fe fydde hi'n mynd drwy Flaencamddwr am Flaenwyre filltir i ffwrdd. Fe fydde Dai a Lisa Jones, Blaencamddwr yn ei gweld hi'n mynd ac yn dod nôl gyda'i phlant newydd-anedig.

Mae defaid yn medru bod yn bethe rhyfedd iawn. Adre ar fanc yr Esgair roedd gan y defaid wair fyny at eu pengliniau. Ond bant fydden nhw'n mynd. Rhan o'n gwaith fel plant fyddai eu cau nhw mewn bob nos. Roedd yna dwll sgwâr yn y wal gerrig ac o gael y defaid i mewn fe fydden ni'n gosod carreg dros y twll.

Fe ddaeth lluwchfeydd mawr 1947, a'r eira dros y pyst teliffon. Fe gollon ni'r defaid i gyd, tua phedwar ugain a deg. Rwy'n cofio'r cŵn yn cloddio'n ddwfn ac yn canfod dafad ar ôl dafad. Mewn un man yn unig roedd tair ar hugain o ddefaid, a'r rheiny wedi dechre bwyta gwlân ei gilydd. Roedden nhw'n noeth, a gwlân wedi glynu rhwng eu dannedd. Fe lwyddwyd i'w cael nhw i'r sgubor ac fe geision ni roi ychydig wair a dŵr iddyn nhw. Ond ofer fu'r ymdrech. Bu farw'r cyfan. Roedden nhw wedi bod dair wythnos yn yr eira.

Ond fe fu byw Gwen a'i phlant. Pam? Wel, fe grwydrodd hi a'i phlant fyny i ben y mynydd i strem y gwynt lle nad oedd yr eira'n sefyll. Petai hi a'i phlant wedi ceisio cael lloches yn y pant fe fydden nhw hefyd wedi eu claddu a marw. Ond mae'n rhaid bod Gwen wedi cofio'i hen gynefin ar y mynydd yn Nanty.

Er gwaethaf y llw a dyngodd Nhad na wnâi fyth wedyn redeg cŵn, fe wellodd pethe wrth i'r Rhyfel ddod i ben. A dyma fe'n dechrau cadw cŵn unwaith eto. Roedd ganddo fe ddisgynyddion i Fflei, honno fu farw ar fwrdd y milfeddyg yn Lerpwl. Fe wnes innau'n ddiweddarach ailgydio mewn cystadlu. Wedi marw Don ro'n i wedi colli llawer o'r ysfa gystadleuol. Amser oedd y broblem arall. Ro'n i mor brysur gyda'r rownd gig fel i fi fethu â phriodi ar y dydd Sadwrn, fel oedd y bwriad, a gorfod dod â'r briodas ymlaen ddiwrnod i ddydd Gwener.

Un o ferched Llwyncolfa oedd Myfi, neu Myfanwy Lewis. Y tro cyntaf i ni gyfarfod â'n gilydd oedd yn Eisteddfod y Berth. Ac yno y gwnes i gyflwyno Geraint Howells i Olwen Griffiths o Dregaron, Ledi Olwen yn ddiweddarach. Roedd hi'n eisteddfodwraig frwd ac yn adroddwraig adnabyddus, er na wnes i ddim erioed gystadlu yn ei herbyn. Fi felly ddaeth â'r ddau at ei gilydd ac fe wnaethon nhw, wrth gwrs briodi'n ddiweddarach.

Ar ddiwedd Eisteddfod y Berth fe ddechreuais i gerdded am adre. Dyma weld dwy ferch yn dechrau cerdded ac fe gynigiais eu hebrwng. Roedden nhw'n mynd mor bell â lôn Llwyncolfa. Un o blant Llwyncolfa oedd Myfi.

Colli ci wnaeth ddod â ni'n glosiach at ein gilydd. Ro'n i'n aelod o Glwb Ffermwyr Ifanc Cofadail gyda Tom Jones, y prifathro lleol yn arweinydd arnon ni.

Lewis John oedd yr ysgrifennydd a fi'n drysorydd. Fe ddaeth hi'n amser paratoi at y rali ac fe ddewiswyd fi i feirniadu'r da tewion, i rifyrso tractor a thrêlyr ac i redeg y ci. Y rifyrso oedd y jobyn mwyaf anodd. Roedd cwmni Ferguson wedi cynhyrchu trêlyr ag olwynion ar y tu ôl. Roedd e'n un anodd iawn i'w rifyrso. Fe fues i wrthi am wythnosau'n ymarfer gartre gan fod Nhad wedi prynu trêlyr o'r fath. Roedd e'n brofiaf tebyg i yrru un o'r loris mawr cymalog yma sydd ar y ffyrdd heddiw.

Ar ddiwrnod y rali yn Llanddewibrefi fe ges i ddiwrnod bant gyda Maldwyn yn gweithio yn fy lle ar y cig. Draw â ni yn Hillman Minx newydd Owen Gwarcaeau. Y jobyn mawr oedd cael hyd i betrol gwyn. Roedd petrol yn dal wedi'i ddogni er bod y Rhyfel drosodd.

Fe wnes i ennill y gystadleuaeth rifyrso. Ac yna dyma Owen yn rhedeg ata'i a dweud fod y ci wedi diflannu o'r car. Meddyliwch, colli Jock! Ddim yn unig oedd e'n ffrind i fi ond roedd e hefyd yn werth trigain punt! Dyma fynd at y car a gweld fod y ci a'i dennyn wedi mynd. Dim ond yn gilagored oedd y ffenest felly roedd rhywun naill ai wedi ei adael allan neu wedi ei ddwyn. O'n i ddim erioed wedi clywed am rywun yn dwyn ci mewn ymryson o'r blaen.

Fe wnes i fynd ati i holi ac i chwilio. Dim sôn am Jock. Yna dyma rywun yn holi i fi beth oedd yn bod. Finne'n esbonio. A wir, roedden nhw newydd weld Jock gyda merch Llwyncolfa ar ben ucha'r cae. A

Dau lun o'r teulu o flaen yr Esgair, a brynwyd yn 1947

dyma fi'n eu gweld nhw, Jock â'i gynffon ar ei gefn yn cerdded yn hapus gyda Myfi a chriw o ferched Tregaron.

Fe darodd Myfi fargen â fi. Os na wnawn i fynd gyda hi i'r ddrama yn y neuadd y noson honno, chawn i ddim o Jock nôl. A mynd fu raid i weld un o ddramâu Edna Bonnell. A dyna gychwyn y berthynas. Fe wnaethon ni briodi yn 1952.

Fe anwyd y tri phlentyn yn yr Esgair, a brynwyd gan Nhad yn 1947. Yr Esgair, fferm 112 erw yw'r unig gartref y gwnes i fyw ynddo erioed y tu allan i Drefenter. Mae e o fewn ffiniau Llangwyryfon. Ond ddim ond o ran tair milltir. Mae Ceri nawr yn ffermio Llwyncolfa, fferm o dros gan erw a hen gartre'i fam. Mae e hefyd yn ffermio yn agos i gant a hanner o erwau fy nhir mynydd i. Mae Eirian yn dal i redeg busnes bwtsiera yn ei siop ger Pont Trefechan yn Aberystwyth. Fe ddechreuodd fwtsiera'n bymtheg oed gyda Nhad. Mae Margaret adre'n gofalu am y cartref. Fe wnes i golli Myfi bedair blynedd yn ôl yn 77 mlwydd oed a Margaret sy nawr yn cynnal yr aelwyd. Fe fu hi'n gweithio i gwmni hybu cig ac wedi hynny'n gweithio gyda cheffylau yn Ffrainc. Wedyn, am ddeunaw mlynedd fe fu hi yng ngofal busnes merlota yma, menter a barhaodd am ddeunaw mlynedd. Bryd hynny roedd gyda ni un ar ddeg o geffylau.

Fe fu gen i dipyn o ddiddordeb mewn ceffylau erioed. Ond dim ond un llwyddiant mawr ddaeth i'm rhan i o ran sioeau. Fe wnes i ennill gwobr gynta yn y Sioe Frenhinol yn yr wyth degau gyda choben Adran 'D'. Roedd Penlluwch Eiddwen yn flwydd oed.

Ddechrau'r pum degau oedd y cyfnod yn fy mywyd pan drodd dydd Sul yn ddiwrnod cyffredin fel pob diwrnod arall o'r wythnos. Roedd cwmni William Price o Gwrt Herbert, Castell Nedd, ef a'i dri mab yn cario creaduriaid ac yn berchen ar ladd-dy anferth. Roedd ganddyn nhw fflyd o loris bob dydd o'r wythnos. Rwy'n cofio chwe lori y tu allan i Dan-y-fron am saith o'r gloch y bore yn cael eu llwytho. Ac i gwmni Price, yr un oedd Sul a gŵyl. Pan mae hi'n dod yn wrthdaro rhwng crefydd a bywoliaeth, dim ond un enillydd sydd. Mae crefydd yn mynd allan drwy'r ffenest bob tro.

Ro'n ni wedi prynu ein lori ein hunain yn 1951. Fi wnaeth ei phrynu yn ngarej y Lion, Aberystwyth, hen lori Wood Jones. Cyn hynny, yn ogystal â chael gwasanaeth William Price fe fydden ni'n

Ein lladd-dy yn yr Esgair pan ddechreuodd y busnes flodeuo

Y lori gyntaf i'w phrynu yn ôl yn 1951

hurio Jack Jones neu Morris Llanilar. Fe wnaethon ni dalu wyth can punt amdani. Fe fyddwn yn ei gyrru hi i Birmingham a Manchester gan deithio weithiau ddwy fil o filltiroedd yr wythnos. Ro'n i mor denau â styllen! Fe fues i wrthi wedyn tan 1964. A dyna pryd wnes i roi'r gorau i'r busnes cig.

Ar ôl symud i'r cartref presennol, Bancllyn yn 1957 y gwnes i ail-gydio mewn difrif yn y grefft o hyfforddi a rhedeg cŵn defaid. Roedd yna lawer o waith i'w wneud ar y tŷ gan nad oedd dŵr na thrydan yma. Fe symudon ni mewn pan oedd Margaret y ferch yn dri mis oed.

Yma ar y Mynydd Bach y dyddiau hynny roedd cadw cŵn defaid yn rheidrwydd. Doedd yma ddim gridiau gwartheg bryd hynny ar y ffyrdd. Yn wir, chawson ni ddim gridiau am flynyddoedd. A'r sbardun oedd i fi ymdynghedu y gwnawn i ail-gydio mewn cystadlu cyn i fi gyrraedd yr hanner cant.

Clwyfwyd Nhad yn ddrwg pan gafodd ei daflu gan geffyl. Yn wir, hynny fu dechrau'r diwedd iddo. Fe fu farw yn 1975 yn 68 mlwydd oed. Roedd e wedi gwneud ei ewyllys. A dyma ganfod iddo fe adael y busnes cig i Maldwyn, fy mrawd iau. Fe ddywedodd wrtha'i cyn marw ei fod e am adael traddodiad y cŵn yn fy nwylo i. Meddyliwch! Rhoi busnes oedd yn broffidiol i Maldwyn, a rhoi busnes nad oedd yn talu i fi!

7

Adar brith

Mae'n ystrydeb, mae'n debyg dweud nad oes cymeriadau'n bod bellach. Ond mae e'n wir. Neu o leiaf mae'n wir fod cymeriadau'n brinnach y dyddiau hyn. Cynigiwyd sawl rheswm ac esboniad dros hyn. Ond tybed nad un rheswm yw'r ffaith nad ydyn ni'n teimlo cymaint o angen cymeriadau bellach?

Gynt, byddai gofyn i bobol cefn gwlad greu eu diddanwch eu hunain. A byddai oedfaon crefyddol yn rhan o'r adloniant. Wedi oedfaon Sul a seiat a chwrdd gweddi, cyngerdd ac eisteddfod, gyrfa chwist a sioe amaethyddol, fe fyddai pobol yn oedi i siarad. Byddai pobol hefyd yn dueddol, gyda'r cyfnos, i grynhoi ar groesffyrdd a phennau lonydd ac ar bontydd i sgwrsio am y tywydd a chyfnewid newyddion y dydd. A byddai cymeriadau'n amlygu eu hunain yn naturiol. Heddiw, dydi pobol ddim yn siarad â'i gilydd gymaint.

Mae hyn yn swnio'n rhyfedd, hwyrach. Ond dydyn ni ddim yn gweld cymaint o angen cymeriadau bellach. Mae'r cyfarfodydd cefn gwlad wedi edwino. Fe gawn ein diddanwch wedi ei baratoi i ni ar radio a theledu. Does yna fawr o le i gymeriadau erbyn hyn. Fe wnaethon nhw ddiflannu, i raddau helaeth, gyda'r hen ffordd o fyw. Ac mae hi'n wag i rywun oedrannus fel fi hebddyn nhw.

Fe fu'r ardaloedd hyn yn frith o gymeriadau. Dyna i chi Wil Bach y Bys. Gyrru un o fysys Jac Edmonds, Llangeitho oedd Wil. Bysys llwyd oedden nhw. Dyna'r unig fysys llwyd fedra'i gofio'u gweld erioed. Byddai gwasanaeth rhwng Llangeitho drwy Benuwch, Bethania a Moreia i Aberystwyth bob bore a nôl bob nos. A gwasanaeth byrrach ganol dydd rhwng Aberystwyth a'r Esgair,

Llangwyryfon a nôl. Bysys bach y wlad oedd y rhain, yn cario popeth o nwyddau siop i ffowls. A phawb yn dibynnu arnyn nhw.

Roedd y bysys bryd hynny'n rhedeg â phetrol, a phan fydden nhw'n gorfod dringo rhiw go serth fe fydde yna gryn fwg a drewdod. Un dydd dyma hen wreigan yn dringo i'r bws yn Llangwyryfon. Dyma hi'n gosod ei basged wiail i mewn yn gyntaf cyn iddi hi, a hithau'n globen fawr o fenyw straffaglu i'w sedd. A Wil yn gorfod hanner ei llusgo hi fyny. Wrth i'r bys duchan fyny'r rhiw serth am Gornel Ofan, Wil yn newid lawr a'r injan yn poethi dyma'r wraig yn gweiddi,

'Wil, be' sy'n drewi gen ti ar yr hen fys 'ma, Wil?'

A Wil yn ateb:

'Diawl, edrychwch pwy sy' arno fe!'

Cymeriad ffraeth arall oedd Wil yr Arch. Enw'i gartref oedd Careg-y-doll ond am ryw reswm fe adnabyddid y lle fel Yr Arch. Roedd Wil yn grefftwr pan ddeuai'n gynhaeaf. Roedd e'n arbenigo ar godi helmau. Un dydd dyma ffermwr mawr llwyddiannus yn mynd ato ac ymbil arno i ddod i helpu. Roedd y crefftwr arferol yn dost a chyfeiriau o lafur mewn sguban ar lawr. Fe addawodd Wil fynd drannoeth.

Yn anffodus doedd fawr o stic yn Wil; dau neu dri diwrnod oedd ei eithaf. Ond fe fyddai ei waith yn berffaith. Fe aeth ati i godi helm, gyda gambo ar ôl gambo'n cario i mewn un ar ôl y llall, a Wil yn taso. Fe fu wrthi o fore tan nos am ddau ddiwrnod. Ond erbyn bore'r trydydd diwrnod, doedd dim sôn am Wil. Draw â'r ffermwr ar ei boni gan farchogaeth y ddwy filltir i weld beth oedd yn bod. Gwrthod mynd yn ôl gydag e wnaeth William. Er i'r ffermwr fynd ar ei liniau, bron, doedd dim mynd i fod.

'Wel,' medde'r ffermwr, 'be wna'i â'r holl lafur ar lawr a neb i roi help?'

'Wn i ddim,' medde Wil. 'Ond fe gewch chi bwt o gyngor gen i.'

'A beth yw hwnnw?' gofynnodd y ffermwr.

'Dyma'r cyngor,' medde Wil. 'Peidiwch â hau mwy na fedrwch chi fedi.'

Yn Aberystwyth, roedd Siop Joni Morris ar dop Stryd y Bont, bron iawn gyferbyn â'r Hen Lew Du. Yno y bydde ffermwyr y wlad o gwmpas i gyd yn prynu dillad. Fe fydde'r siop yn orlawn bob amser. Fe fydde angen tri neu bedwar i weini yno, yn enwedig ar ddiwrnod marchnad.

Un dydd dyma hen wreigan o'r Mynydd Bach yn mynd at Joni ei hun i holi am drowser. Rhaid oedd mynd i lygad y ffynnon. A dyma Joni'n nôl bwndel iddi a'i osod ar y cownter. Fe ddewisodd yr hen wreigan drowser, a Joni'n codi swllt amdano.

Allan â hi lawr y Stryd Fawr lle'r oedd siop fawr Woolworth newydd agor. I mewn â hi a gweld yr union fath ar drowser a brynodd gan Joni ar werth am chwe cheiniog. Nôl â hi i Siop Joni, gan rwygo'r trowser o'r cwdyn papur a'i daflu ar y cownter dan drwyn Joni.

'Edrychwch yma'r dyn,' medde'r hen wreigan, 'rych chi wedi ngwneud i yn y trowsus yma!'

A Joni'n ateb yn hamddenol, 'Jiw, jiw fenyw, peidiwch â gweiddi. Sdim isie i bawb wybod!'

Tom Bwtsier wedyn, cymeriad mawr arall. Roedd yna ffermwr lleol, pan fydde fe'n gwerthu ŵyn yn methu cael gwared o'i hwrdd. Ond fe wnâi Tom brynu hyrddod hefyd. Un bore dyma'r ffermwr yn taro bargen â Tom, yn cynnwys yr ŵyn a'r hwrdd. Fe drefnwyd i'r hwrdd gael ei osod dros nos yn y beudy i Tom ei gasglu'r bore wedyn.

Erbyn te deg y bore wedyn roedd Tom wedi cyrraedd, wedi tynnu'r poni fach mas o'r trap a'i gadael hi yn y stabal. Yna fe aeth i'r tŷ am baned cyn casglu'r hwrdd. Dyma'r paned yn mynd yn ddau, a'r sgwrsio'n mynd ymlaen hyd at ginio. Wedi cinio dyma godi i nôl yr hwrdd. Ailosodwyd y poni fach yn y trap a gyrru at y beudy. Ond o fynd i mewn dyma olygfa drychinebus. Roedd y ffermwr wedi clymu'r hwrdd yn y bing, neu'r mansier. Ond roedd y creadur wedi neidio'r côr ac wedi crogi.

'Wel, wel,' medde'r ffermwr yn drist. 'Dyna golled. Dyna sofren gyfan wedi mynd i'r gwellt. Sofren rwy'n arfer ei chael gyda chi, ontefe?'

'Eitha reit,' medde Tom.'Mae hi'n sofren o golled i fi hefyd.'

A dyna'r gath allan o'r cwd. Roedd Tom yn arfer dyblu ei bris wrth werthu ymlaen.

Roedd Tom yn un o griw o fwtsieriaid ar y Mynydd Bach. Un arall oedd William Bwtsiwr. Pan fydde fe'n mynd o gwmpas i brynu ŵyn fe fydde fe'n cyrraedd tua hanner awr wedi chwech y bore. Mewn un lle arbennig fe gyrhaeddodd yn gynnar, fel arfer. Roedd cŵn yn cyfarth ond neb wedi codi. Dyma William yn eistedd ar y clawdd i'w disgwyl wrth ymyl rhyw hen danc dŵr. Fe ddihunwyd y ffermwr gan y cŵn ac fe ddaeth yn gysglyd i ffenest y llofft.

'Bachgen, bachgen ry'ch chi'n gynnar, William!' medde hwnnw.

'Ydw. Mae'n bryd i chithe ddod o fan'na, machgen i.'

Dyma'r ffermwr yn straffaglu lawr y stâr a gweiddi ar i bawb godi. Allan ag e.

'William bach, ry'ch chi'n gynnar,' medde fe. 'Mae'r ŵyn siŵr o fod yn codi.'

'Ydyn, gwas,' medde William. 'Os ydyn nhw'n iach, fe godan nhw bob tro y gorweddan nhw.'

Yna dyma'r gweision yn codi, a William yn gweiddi arnyn nhw.

'Os caru'r bedd fel caru'r gwely,
Chi fydd ola'n atgyfodi.'

Ond hen dad-cu William, sef Daniel Rowlands oedd y cymeriad mwyaf. Rown i'n ffrindiau mawr â'i ŵyr, Tom. Roedd e'n llawer hŷn na fi, ond fe fydde'n well gen i, o lawer, gwmni Tom na chwmni neb arall. Roedd e'n storïwr heb ei fath. Pan fydde Tom yn Aberystwyth, fe fyddai'n troi mewn i dafarn y Relwe fel arfer. A phan ddeuai'r ffermwyr i wybod ar fore dydd Llun – diwrnod mart – fod Tom yno, fe fydden nhw'n crynhoi yno.

Roedd e wedi etifeddu ei ddawn o ddweud stori oddi wrth ei hen dad-cu. Roedd Daniel Rowlands yn chwedl yn yr ardal. Roedd e'n byw ym Methania mewn bwthyn o'r enw Asia Minor. O ble daeth yr enw, does gen i ddim syniad.

Roedd Daniel yn hoff o'i beint. Er nad oedd sôn iddo feddwi erioed. Fe fyddai'n galw'n aml yn Aberaeron, gan brynu llawer iawn o greaduriaid o gwmpas y lle. Yn eu plith fe fydde gwartheg baren. Un prynhawn fe aeth ati i yfed lwc wedi dêl gan ryw ffermwr mewn tafarn yn y dre. Wedi iddo fynd allan fe deimlod Daniel awydd i biso. Ac fe wnaeth hynny wrth ochr y bont. Yn anffodus fe'i gwelwyd gan blismon. Y canlyniad fu iddo fe gael ei erlyn.

Yn y llys fe'i dirwywyd e un swllt. Fe gafodd gynnig talu ar unwaith i'r Clerc. Fe dderbyniodd Daniel y cynnig. Dyma fe'n cyfarch y Clerc ac yn tynnu darn swllt arian o'i boced.

'Nawr te, arhoswch chydig bach, 'machgen i,' medde Daniel. 'Mae gen i ddime'n sbâr fan hyn hefyd. Gwell i chi gâl honno hefyd. Pan ddaliodd y plismon fi, fe wnes i daro whiffen fach, achan. Chlywodd e ddim mohono. Felly dyma ddime am honno.'

Fe fydde Daniel yn mynd draw am Langeitho i brynu hefyd. Yno fe fydde'n clymu'r poni fach y tu allan i'r Three Horseshoes ac yn mynd mewn am beint. Yna, o ailneidio ar gefn y poni fach a phasio delw'r Daniel Rowlands arall ar draws y ffordd byddai'n diosg ei het a chyfarch y ddelw.

'Nos dawch, newyrth!'

Roedd e'n hoff iawn o arddel perthynas rhyngddo ef a'r pregethwr mawr o'r un enw, er nad oedd unrhyw brawf o hynny. Mae'n debyg mai o ardal Pwllheli oedd y teulu'n dod, ac iddyn nhw fod yn rhan o'r diwydiant gwneud hetiau silc.

Un nos roedd ffermwr o Lwyngroes ar sgwâr Llangeitho yn sgwrsio â dau neu dri arall. Dyma fe'n deall fod Daniel yn y dafarn. Roedd Daniel newydd gladdu ei wraig. Newydd farw hefyd oedd ei hoff boni fach. I mewn â'r ffermwr i gydymdeimlo ag ef. Roedd Daniel ar fin troi am adre, a olygai gerdded pum milltir a mwy drwy Benuwch am Fethania.

'Daniel Rowlands!'

'Ie, machgen i,' medde Daniel.

'Rwy wedi dod mewn i gydymdeimlo â chi. Fe glywes eich bod chi yma. Mae'n wir ddrwg gen i glywed i chi golli'r wraig. A wedyn colli'r poni fach.'

'Do, machgen i. Diolch yn fawr. A bydd raid i'r hen Ddaniel ei ffwtan i lan y rhiw 'na am Benuwch a Bethania co nawr, machgen i. Ond fel'na ma hi. Digon drwg oedd colli Mari. Ond erbyn heno, gwâth na hynny colli'r poni.'

Mae sôn amdano unwaith yn galw yn y siop a'r Swyddfa Bost yn Llannon. Roedd cownter y Swyddfa Bost wedi cau a gwrthodwyd gwasanaeth i Daniel. Bu hyn ar ei feddwl am sbel. Yna, un prynhawn stormus iawn, a chownter y Swyddfa Bost o fewn pum munud i gau, i mewn â Daniel. Archebodd deligram gyda'r geiriau: 'On the road to Asia Minor'. Gorfodwyd un o weithwyr y Swyddfa Bost i gludo'r teligram ar draed drwy'r storm i gartref Daniel bedair neu bum milltir i ffwrdd.

Fe gafwyd digwyddiad anarferol iawn yn Aberaeron unwaith pan olchwyd corff dyn fyny ar y traeth. Dyn du oedd e, wedi cwympo, mwy na thebyg, o fwrdd llong ac wedi boddi. Penderfynwyd ei gladdu ym mynwent Aberaeron. Ar ddydd Sadwrn oedd yr angladd, ond yn anffodus fedrai'r gweinidog ddim bod yno. Cymerwyd at y gwasanaeth felly gan y blaenoriaid.

Roedd Daniel mewn tafarn pan glywodd am yr angladd. Draw ag e. Yn ystod y gwasanaeth gwahoddwyd ef i ddweud gair ar lan y bedd. Ac fe wnaeth. Uwchben yr arch fe adroddodd:

Dyn du o wlad bell,
'Tae ti o'r wlad yma, fyddet ti ddim byd gwell
Gorwedd yma ymhlith y tade,
Pan godith rheiny, fe godi dithe.

Roedd hi'n amhosib cael y gorau ar Daniel. Mae 'na stori dda am ddau grwt o Langeitho ar Ddydd Calan wedi bod yn hel calennig ac yn dynesu at Benuwch. Yn y pellter dyma nhw'n gweld dyn yn dynesu ac yn sylweddoli mai Daniel oedd e. A dyma'r ddau grwt yn cynllwynio sut i gael hwyl am ben Daniel. A dyma nhw'n penderfynu ar ffordd o dynnu ei goes. Wrth iddyn nhw gyfarfod, Daniel wnaeth eu cyfarch nhw.

'Shwd ych chi, bois bach?'

'Da iawn, Mr Rowlands. Shwd ych chi?'

'Oes 'na unrhyw newydd lawr yn ardal Llangeitho 'na?'

'Oes, ry'n ni wedi cael newydd drwg iawn y bore 'ma.'

'Dew, cato'n pawb! Be sy wedi digwydd, dwedwch?'

'Ma'r Diafol wedi marw 'co.'

'Dew, cato'n pawb!'

A dyma fe'n gwthio'i law i'w boced a thynnu allan ddwy ddimai.

'Dyma bob i ddime i chi, blant amddifad.'

Ie, Daniel Rowlands, dim ond un o gymeriadau brith y Mynydd Bach. Yr adeg honno roedd y fro yn drwch o gymeriadau gwreiddiol. Does yna fawr neb ar ôl bellach.

8.

Gweld o bell

Rwy'n dal i ffermio er fy mod i dros fy mhedwar ugain oed. Ie, 'glynu'n glós yw nhynged' o hyd. Erbyn hyn, dim ond defaid sydd gen i. Mae'r gwartheg wedi hen fynd. Gormod o waith. Fe fu ganddon ni unwaith tua deugain o wartheg. Mae llai o waith gyda defaid. Ac fe ga'i help yr wyrion nawr – Irfon, mab Ceri a Rhun, mab Eirian. Fe fyddai'n dal i godi'n weddol gynnar bob bore tua hanner awr wedi saith.

Dw'i ddim yn rhedeg cŵn rhyw lawer nawr. Ond rwy'n dal i hyfforddi cŵn ifainc. Rwy'n dal i werthu cŵn hefyd. Fe fyddai'n mynd fyny i Swydd Efrog; fyny i'r Alban hyd yn oed. Fe fyddai'n mynd fyny wedyn i Skipton i werthu cŵn gyda John Berth-ddu i'r arwerthiant cŵn defaid ddwywaith y flwyddyn. Fe fyddwn ni'n mynd a dod nôl yr un diwrnod.

Fe fyddai'n hyfforddi cŵn ar hyd y flwyddyn gron. Bob blwyddyn. Ond ychydig o amser ar y tro fyddai'n ei roi i hynny. Mae'n bwysig peidio â hel ci drwy'i bethe am fwy nag ugain munud y dydd. O'i orfodi i ymarfer yn hwy na hynny, mae'r ci yn mynd i laru. Ac os methwch chi ambell i ddiwrnod, does dim gwahaniaeth. Mae e'n llesol yn aml eu gadael nhw am ddiwrnod neu ddau. Wrth gwrs, fe fyddai'n hyfforddi dau neu dri chi yn ystod un diwrnod.

Rwy wedi cystadlu ar hyd yr amser. I ddathlu'r Mileniwm newydd trefnwyd ymrysonfa ddiddorol iawn oedd yn golygu cystadlu am wythnos mewn tri man gwahanol sef Ponterwyd, Ffair Rhos a'r Mynydd Bach. Ac yn wir, fe wnes i ennill gyda Mirc.

Ydyn, mae'r cŵn yn dal mor bwysig ag erioed. Ac yma ar y Mynydd Bach y bydda'i mwy, tra medra'i gerdded. Mae gen i nifer o

Rhai o'r niferoedd wobrau sydd ym mhob twll a chornel yn y tŷ

gŵn ifainc sydd â dyfodol disglair iddyn nhw. Mae gen i gŵn da. Yr unig anhawster yw bod oedran wedi dal fyny â fi. Yn wir, fe fydd yn wyrth os ca'i weld rhedeg hyd yn oed rai o'r cŵn ifainc sydd gen i nawr. Mae gen i gi ifanc ar hyn o bryd, Scott sydd newydd fod allan am y tro cyntaf yn rhedeg. Fe ddaeth e'n bumed. Mae gen i wyth neu naw ymryson lleol o'm blaen i ar hyn o bryd. A'r her a'r gobaith fydd ei weld e'n gwella o ymryson i ymryson. Jock yw'r dyfodol nawr. Pa mor hir yw'r dyfodol hwnnw, Duw a yn unig ŵyr.

Mae tymor yr ymrysonfeydd yn cychwyn, fel arfer, fis Ebrill ac yn diweddu tua diwedd Hydref. Ond menter gymharol newydd bellach yw ymrysonfeydd meithrin. Yno mae modd mynd â chŵn ifanc heb erioed fod o gartref o'r blaen. Ac mae'n rhaid i bob un fod o dan deirblwydd oed. Dyma sut gychwynnodd Scott.

Wedi'r holl flynyddoedd, yr un yw'r wefr o hyd. Nid y gwobrau sy'n bwysig er bod yna dlysau a chwpanau di-rif yma ac acw ar hyd y tŷ. Bod yn rhan o'r peth yw'r wefr. Rwy'n dal i edrych ymlaen at ymryson fel plentyn yn disgwyl Nadolig. Fe fyddai'n dod adre wedi blino fel pren. Ond wedi hanner awr yn eistedd uwchben paned o de neu lasied o ddŵr, fe fyddai'n barod amdani unwaith eto. Dyna'r

Gyda Mirc ar ôl ennill Tlws Coffa R. L. Hopkins yn New Row

bywyd. Ac rwy'n dal i'w fwynhau. Heb y cŵn, fydde yna ddim bywyd gwerth sôn amdano.

Tua mis cyn i Nhad farw, y geiriau olaf bron iddo eu hadrodd i fi oedd:

'Idris, dal dy afael yn y cŵn.'

Fe addewais y gwnawn i ac fe gedwais at fy ngair. Heb y cŵn, fyddwn i ddim wedi cael yr un gwerth allan o fywyd. Ymhlith y cŵn wnes i ddarganfod fy nefoedd ar y ddaear. Ac fe fedra'i ddweud hyn heddiw: wrth edrych nôl ar y cannoedd dw'i wedi dod i'w hadnabod drwy'r cŵn, wnawn i ddim newid un funud.

Mae hi'n ddadl barhaol p'un ai rygbi neu bêl-droed yw gêm genedlaethol Cymru. Yn sicr, dyw'r naill na'r llall ddim yn gêm Gymreig. Un o'r ychydig gampau gwirioneddol Gymreig yw ymryson cŵn defaid. Cymro wnaeth ei dyfeisio, ac yng Nghymru y cynhaliwyd y gamp gyntaf erioed yng ngwledydd Prydain. Yr oedd yna ryw fath o dreialon wedi eu cynnal yn Seland Newydd chwe blynedd yn gynharach, ond ni sydd biau'r gamp.

Sgweier y Rhiwlas, y Bala wnaeth gychwyn y cyfan nôl yn 1873. Roedd R. J. Lloyd Price yn yfed mewn clwb yn Llunden pan heriodd e Albanwr i ddod â chŵn gorau'r Alban i'r Bala i gystadlu yn erbyn cŵn gorau Cymru. Fe gynhaliwyd yr ornest yn y Garth Goch, ddwy filltir o'r Bala. Roedd deg ci'n cystadlu ac fe ddaeth torf o dri chant ynghyd i wylio'r treialon. Yn anffodus, ci Albanwr wnaeth ennill sef Tweed, ci James Thompson. Roedd Thompson yn byw'n lleol ym Mwlch yr Horeb, Caletwr ac yn gweithio fel bugail yn y Rhiwlas.

Dair blynedd yn ddiweddarach fe gynhaliwyd y treialon rhyngwladol cyntaf yn Alexandra Park, Llunden wedi eu trefnu eto gan Lloyd Price. Y tro hwn yr enillydd oedd Cymro, John Thomas o Gwmyraethnen, Hirnant gyda'i ast bedair blwydd oed, Modi.

Dyw'r rheolau ddim wedi newid rhyw lawer o ddyddiau'r treialon cyntaf hynny. Y newid mwyaf oedd bod y bugail, yn nyddiau Lloyd Price yn cael ei glymu â rhaff ddeuddeg troedfedd o hyd o gwmpas ei ganol wrth y postyn cyn corlannu. Mae gor-ŵyr Lloyd Price yn dal i fyw yn y Rhiwlas.

Mae ymrysonfeydd cŵn defaid wedi bod yn ffordd o fyw i fi ers yn

Wag, un o'r cŵn mwyaf llwyddiannus fu gen i

blentyn. Y cystadlu yn hytrach na'r ennill sydd wedi bod yn bwysig. A'r pleser o weld ci rwy wedi'i fagu yn llwyddo. Hyn a'r cymdeithasu. Mae honno'n elfen hollbwysig sydd wedi mynd â fi ledled gwledydd Prydain ac Iwerddon.

Heddiw, cyn belled ag yr ydw i yn y cwestiwn mae'r cystadlu trwm wedi gorffen. Ond fe fyddai'n dal i fynychu treialon lleol, ac ambell un ymhellach i ffwrdd. Ond prin yw'r rheiny nawr. Yn un peth fedrwn i ddim fforddio gwneud heddiw'r hyn a arferwn i ei wneud. Mae hyd yn oed yr hen gwmnïaeth wedi darfod. Fi oedd yr ieuengaf o'r criw, ac mae'r hen griw wedi marw mâs. Llawenydd mawr i fi yw bod Eirian y mab wedi parhau'r traddodiad, a'i fab yntau, Rhun er mai rygbi yw dileit hwnnw. Y gobaith yw y daw e nôl at ei goed wedi iddo fe roi'r gorau i chwarae. Mae e'n fwy tebyg i fi yn ei ddulliau tawel nad yw e i'w dad a'i hen Dad-cu. Hwyrach bod y newid yn dod bob yn ail genhedlaeth, Eirian yn debyg i Nhad a Rhun yn debyg i fi. Wn i ddim. Rwy'n credu'n gryf fod y busnes yma'n gweithio ddwy ffordd, chi'n dysgu'r cŵn a'r cŵn yn eich dysgu chi.

Y cymdeithasu sy'n mynnu aros yn y cof. Dyna'i chi'r tripiau i Cold Ashton tu draw i Fryste. Fe gychwynnwyd y treialon hyn drwy Michael Evans o Drefeglwys. Fe wnaeth teulu Humphreys o ardal Carno ei berswadio rywfodd neu'i gilydd i drefnu treialon yn Cold Ashton ac i noddi hyn a'r llall yno. Fe dyfodd i fod yn fenter flynyddol i godi arian at achosion da. Fe fydde criw ohonon ni'n mynd, yn eu plith fi ag Ifan Hopkins fel arfer yn cychwyn ar fore dydd Sadwrn ar gyfer yr ymryson trannoeth. Fe fydden ni'n gadael ddyddiau cyn y treialon ac yn cystadlu mewn ymrysonfeydd ar y ffordd lawr.

Yn cydredeg â'r treialon fe fydde sioe fawr gydag arddangosfa o hen beiriannau ac offer a channoedd o bobol yn dod yno. Ar ben y cyfan fe fydde yna gyngerdd ar y nos Sadwrn a'r Cymry wedi dod i wybod amdano. Roedd yna Gymry'n dod o bobman, gogledd a de i gystadlu ac i gymdeithasu. A'r cyngerdd oedd yn rhoi cychwyn i'r hwyl. Yr arweinydd oedd Charles Arch, a byddai Dai Jones a Richard Rees yn cymryd rhan.

Ar gyfer y cyngerdd fe fydde bws yn ein codi ni y tu allan i'n gwestyau ble bynnag fydden ni'n lletya am saith. Wedyn fe fydde yna wledd yn ein disgwyl ni yn y neuadd. Fe fydde'r lle yn llawn i'r drws a'r Cymry a'r Saeson yn cyd-fwynhau. Fe fuon ni'n mynd am flynyddoedd.

Atyniad arall oedd Ynys Manaw. Fe fydden ni'r Cymry'n cwrdd yn Heysham. Gyda ni fyddai Ieuan Evans, bugail Plas y Trawscoed, neu EJO fel y câi ei alw, a'i wraig Iola, Ifan Hopkins a Margaret ac weithiau Jeff ac Eira o Ffos-y-bleiddiaid, Swyddfynnon. Yn y porthladd fe fyddai'r Cymry a'r Albanwyr yn cwrdd. Fe fydden ni'n aros gyda Ronnie Kinrade a'i wraig yng ngogledd yr ynys.

Rwy'n cofio mynd dros Scaefell, a hynny bythefnos wedi'r rasys TT. Dyna beth oedd golygfa, sachau gwlân a gwellt wedi eu gosod yma ac acw i atal niwed i'r beicwyr. Fe wnaeth Ronnie ddangos safle damwain i ni ble cafodd gyrrwr ifanc ei daflu o'i feic. Fe aeth ei gorff yn ffordd a'i ben y ffordd arall. Fe'i claddwyd ag un droed yn dal i fod ar goll.

Dau o'm cŵn mwyaf llwyddiannus erioed, Wag a Ianto ar ôl ennill Pencampwriaeth Gogledd Cymru yn y Bala

Roedd Ronnie'n ffermio lan yn Point of Ayr. Lawr yn Peel fydden ni'n cystadlu. Fe fuon ni'n mynd yno am flynyddoedd. Yn anffodus, fel cymaint o'r hen adar, mae Ronnie wedi'n gadael ni.

Roedd Iwerddon yn bwysig ar y calendr. Yno fe fydde ras aredig yn cydredeg â threialon cŵn defaid. Digwyddiad symudol oedd hwnnw yn mynd o ardal i ardal yn flynyddol, fel yr arferai'r Sioe Frenhinol yma yng Nghymru. Yn wir, mae hi'n dal i fynd. Y tro cynta i ni fynd roedd y sioe yn Limerick. Y trefnydd o'n rhan ni oedd EJO. Yn ein plith roedd Elfyn Jones o ochr isaf Aberhonddu gyda'i bartner Eiddwen. Roedd arno fe ofn dŵr, ond yn benderfynol o ddod. Roedd e wedi trefnu cwrdd â ni yn Aberaeron. Ond dyma EJO yn mynd ddiwrnod yn gynnar. Felly dyma fi a Hugh Giles yn bwrw bant. A dyma sioc o gyrraedd yr ochr draw yn Rosslare. O'n i ddim wedi breuddwydio fod Limerick mor bell.

Rhwng y pellter a'r ffyrdd gwael, roedd hi'n hunllef. Roedd hi tua dau o'r gloch y bore pan gyrhaeddon ni ben y daith. A'r llais cyntaf

Eirian gyda Spot wedi iddyn nhw ennill
Pencampwriaeth Ryngwladol 2011 yn Tain

glywais i oedd llais y cawr o Killin yn yr Alban, John Angus Macleod, dyn a fu'n chwedl ymysg rhedwyr cŵn defaid. Gydag e roedd criw mawr o'i gydwladwyr. Fe wnaeth Dai Jones raglen Cefn Gwlad gydag e, gyda John Angus – ymhlith pethe eraill – yn saethu carw.

Ar y ffordd nôl fe wnes i ddal ar y cyfle i gystadlu mwy yn ardal Tipperary i lenwi'r amser, ac yna nôl i gwrdd ag EJO ger Rosslare. Ond bob tro fyddwn i yn Iwerddon fe wnawn i'n siŵr o droi am Templemore, Tipperary lle'r oedd gwreiddiau Mam-gu. Yno oedd cartref hen deulu Brodrick, ac oddi yno y daeth y gwaed Gwyddelig i'n teulu ni. Mae'r gwaed Gwyddelig yn bwysig iawn i fi. Weithiau rwy'n difaru na wnes i, pan oeddwn i'n ifanc, fynd i fyw yn Iwerddon. Rwy'n teimlo y medrwn i fod wedi setlo yno.

Yr atyniad mawr o ddilyn yr ymrysonfeydd hyn oedd bod pob sioe'n wahanol, y cyrsiau'n wahanol, y bobol yn wahanol ond y gwmnïaeth yn wych ym mhobman. Y gofyn mawr oedd cael dau gi da, ac yn ystod y cyfnod hwn yn yr wyth degau roedd gen i ddau gi gorau fy mywyd, Wag a Ianto. Mae rhywun yn lwcus cael un ci da ond mae cael dau gyda'i gilydd yn rhywbeth anarferol iawn. Dydi defaid ddim yn addas i'r un ci bob tro. Ond fe allai'r ddau gi yma drin y ddau fath o ddefaid. Gyda nhw, pur anaml wnes i adael y cae ymryson heb wobr.

Fe deithiais i fy siâr drwy'r Alban hefyd ac yno y daeth yr awr fawr. Ym mis Medi 2011 fe wireddwyd breuddwyd Nhad a'm breuddwyd innau. Er cymaint ein llwyddiant, wnaeth y naill na'r llall ohonon ni ddim llwyddo i ennill y Bencampwriaeth Ryngwladol. Ond fe wnaeth Eirian, y mab gyda'i gi saith mlwydd oed, Spot ennill y gamp, gan ddod y Cardi cyntaf mewn hanes i wneud hynny.

Yn Tain oedd y gystadleuaeth. Roedd hi'n daith bell, bum milltir ar hugain uwchlaw Inverness yn Ucheldiroedd yr Alban. Ond rwy'n falch i fi fynd yno i weld y digwyddiad hanesyddol. Wnaeth e ddim croesi fy meddwl i gwnâi Eirian ennill. I fi, doedd y ffaith fod Eirian yn cystadlu am y wobr fawr yn Tain yn golygu dim mwy na phetai e'n cystadlu mewn ymryson lleol ym Mhenuwch neu Ffair Rhos. Fuodd yna ddim codi gobeithion. Dim ond balchder am iddo gael y cyfle.

Fe fu llawer o ddathlu ar ôl cyrraedd adre. Fe fu yna, er enghraifft gyfarfod mawr yng Nghlwb Rygbi Aberystwyth. Fe fu Eirian yn chwarae dros y clwb am flynyddoedd. Ac yno y canodd ein hen ffrind, John Walters – y bardd o Llandudoch – rigwm o deyrnged i Eirian:

'O'r Mynydd Bach i'r Alban fry
Aeth y cigydd llon a Spot y ci;
Rhwng tridiau o gystadlu yn erbyn y "cream"
Dychwelodd i Aber yn "Champion Supreme".'

Fe fues i'n lwcus yn Tain o ran gwylio'r bencampwriaeth. Roedd ffrind mawr i fi, Phil Pugh yn berchen ar fan fawr ac wedi ei gyrru i'r ymryson. Roedd cael eistedd yn y fan gystal â chael gwylio o'r grand stand. Yno y bues i dros y tridiau.

Ar y diwrnod cyntaf roedd gofyn i Eirian gystadlu ar gyfer mynd drwodd i'r rownd nesaf gan gwtogi'r trigain gwreiddiol lawr i bymtheg. Yna, ar y dydd Sadwrn roedd e'n rhedeg yn y ffeinal fawr. Fe wnes i ei osod, yn answyddogol tua'r trydydd safle. Fe wyddwn i fod o leiaf ddau redwr arall da iawn yn y ras. Ond fe aeth pethe o chwith i'r rheiny. Oherwydd y dull modern o gyfri'r pwyntiau fe wyddai ambell un ychydig o flaen llaw fod Eirian wedi ennill. Hen ffrind, Wyn Edwards oedd y cyntaf i dorri'r newydd mawr i fi. Ond fedrwn i ddim o'i gredu. Yna dyma'r cyhoeddiad yn dod, a banllef o gymeradwyaeth yn codi.

Pan wnaethon nhw alw Eirian i dderbyn ei wobr – tarian a llwyth o gwpanau a siec sylweddol – dyma fe'n dod ata i'n gyntaf gyda'r ci a mynnu fy mod i'n mynd fyny gydag e. Roedd ei weld â'r coler glas mewn un llaw a thennyn y ci yn y llall yn funud fawr yn fy hanes. Doeddwn i ddim am fynd gydag e, ond dyma Wyn Edwards yn fy mherswadio i fynd fyny gydag Eirian fel cydnabyddiaeth o'r holl flynyddoedd y bu'r teulu'n cystadlu.

Fe roddodd Eirian dennyn Spot yn fy llaw. Ro'n i'n crynu gormod i gydio ynddo. Ond fyny â ni. Roedd e'n brofiad emosiynol. Yno roedd pawb yn ein llongyfarch ni. Ond fedrwn i ddim torri gair. Rown i dan deimlad. Fe wnes i gilio o'r golwg ar y cyfle cynta. Ro'n i'n teimlo fel Moses gynt. Chafodd hwnnw ddim mynd i Wlad yr Addewid. Ond fe gafodd ei gweld hi o bell. Ac fe ges innau weld fy mab yn cyrraedd Gwlad yr Addewid ym myd y cŵn defaid.

Ond yn Tain y funud honno nid yn yr ymryson oeddwn i yn gwylio Eirian yn derbyn ei wobr. Na, ro'n i nôl yn nyddiau llencyndod Nhad. Fe'i gwelwn yno'n blentyn ar ei liniau ar groesffordd Troed-y-foel yn golchi wyau hen wreigan Pengraig yng ngraean y pistyll bach. Roedd ei feddwl ar ennill hanner coron brin i gystadlu yn ymryson Ffair Rhos. Ac yno fues i am sbel, wrth i bawb arall ddathlu, nôl wrth bistyll Troed-y-foel lle dechreuodd y cyfan. Ac mae dŵr y pistyll bach – fel y cŵn a'r atgofion – yn dal i redeg.

Geirfa

aradr ddwy-gast – aradr ddwbl
baren – hesb
bing – preseb
bolto – dianc
cawl twymo – cawl wedi ei ail-ferwi
cigach – mân gig
clipen – pedol ysgafn
crwt/ crwtyn – bachgen, hogyn
cwrshin – ymryson cŵn defaid
enllyn – tamaid o fwyd
gelod – mwydod sugno
lego oen – datgymalu coes oen
mansier – preseb
mowlder – periant mowldio rhych
rhibyn – cryn bellter
rhwymo – clymu ysgubau
sietyn – perth
stic – dyfalbarhad, dycnwch
stîl – haearn hogi cyllyll
strem (y gwynt) – dannedd y gwynt
tocyn – byrbryd mewn pecyn
topiau – ucheldir
torrog – beichiog
whiffen – rhech dawel
ystod – lled torriad cyllell pladur

Cerdd i Idris Morgan

Ar Galan Mai, 2012, cafodd Lyn Ebenezer a Myrddin ap Dafydd daith ryfeddol yng nghwmni Idris Morgan, o gwmpas ardal y Mynydd Bach, Ceredigion. Tynnu lluniau o'r fro ar gyfer y gyfrol hon oedd amcan y daith ond yr hyn a gafwyd oedd stori am bob tŷ a thwlc a nant a rhiw. Daearyddiaeth y fro oedd llinyn ei chwedlau a chafwyd plethiad o deithio a straeon a fydd yn aros yn hir yng nghof y ddau. Gan fod y fro wedi gwagio, yr hen ffordd o fyw wedi newid, yr hyn oedd yn rhygnu yn eu meddyliau hefyd oedd – pwy fydd yn cofio hyn i gyd yn y dyfodol. Nid oedd dim yn emosiynol na hiraethus yn ffordd Idris o adrodd ei atgofion, ond bob hyn a hyn ailadroddai'r frawddeg: 'Does dim i ga'l 'ma'n awr ond Seison'.

Taith yr Hen Fugail

'Hwn oedd bwthyn bach y teulu,
Mae e'n llawer mwy ers hynny
Ac mae'i liw e'n taro'r llygad;
Rwy'n eu gweld un waith bob lleuad.

'Yn fan hyn y bûm i'n sefyll:
Golchi wye dan y pistyll
I'w rhoi'n Minffordd ar y cownter;
Ni ddaw rhagor yr un cwsmer.

'Aeth y tyddyn hwn i rywun
Gafodd fwy nag oedd e'n mofyn:
Drain ac ysgall ugain mlynedd
Lle bu sawl cynhaea'n gorwedd.

'Cartre bardd oedd hwn ers talwm
Ac rwyf inne'n hoff o rigwm;
Ges i swllt 'dag e am adrodd,
Ond wrth gwrs, mae'r steddfod drosodd.

'Dyma'r capel; dyma'r stabal
Lle rhoid merlod pella'r ardal;
Rownd y cefen, dan y meini:
Dacw nhw fy nheulu heddi.

'Pant y Gwair a Chwrdd y Mynydd,
Tyrfa'n ddu a'r haf yn hirddydd;
Tân diwygiad yn y bregeth
Weithia'n twymo rhyw garwri'eth.

'Hafod Newydd a Nantcwta –
Mae pob llidiart yn chwedleua;
Brwyn a chreigiau a boncyffion:
Does dim i ga'l 'ma'n awr ond Seison.'

Myrddin ap Dafydd
(*Blodau gwanwyn, blodau gwyn*)

Cyfres Llyfrau Llafar Gwlad – rhai teitlau

61. LLYFR LLOFFION YR YSGWRN, Cartref Hedd Wyn
    Gol. Myrddin ap Dafydd; £5.50
62. FFRWYDRIAD Y POWDWR OIL
    T. Meirion Hughes; £5.50
63. WEDI'R LLANW, Ysgrifau ar Ben Llŷn
    Gwilym Jones; £5.50
64. CREIRIAU'R CARTREF
    Mary Wiliam; £5.50
65. POBOL A PHETHE DIMBECH
    R. M. (Bobi) Owen; £5.50
66. RHAGOR O ENWAU ADAR
    Dewi E. Lewis; £4.95
67. CHWARELI DYFFRYN NANTLLE
    Dewi Tomos; £7.50
68. BUGAIL OLAF Y CWM
    Huw Jones/Lyn Ebenezer; £5.75
69. O FÔN I FAN DIEMEN'S LAND
    J. Richard Williams; £6.75
70. CASGLU STRAEON GWERIN YN ERYRI
    John Owen Huws; £5.50
71. BUCHEDD GARMON SANT
    Howard Huws; £5.50
72. LLYFR LLOFFION CAE'R GORS
    Dewi Tomos; £6.50
73. MELINAU MÔN
    J. Richard Williams; £6.50
74. CREIRIAU'R CARTREF 2
    Mary Wiliam; £6.50
75. LLÊN GWERIN T. LLEW JONES
    Gol. Myrddin ap Dafydd; £8.50
76. DYN Y MÊL
    Wil Griffiths; £6.50
78. CELFI BRYNMAWR
    Mary, Eurwyn a Dafydd Wiliam; £6.50
79. MYNYDD PARYS
    J. Richard Williams; £6.50
80. LLÊN GWERIN Y MÔR
    Dafydd Guto Ifan; £7.50